숨마 주니어®

중학 영어
문장
해석
연습 ①

이룸이앤비
Education&Books

구성과 특징

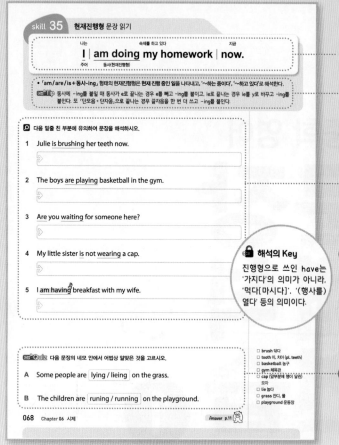

① 60개 문장 패턴
중학 영어 교과서에 나오는 주요 문장 패턴을
학년별로 60개씩 정리하여 제시하였습니다.

② 해석 skill 설명
대표 문장을 앞세워, 문장 구조에 따른 해석
법을 핵심만 간략하게 설명하였습니다. 문장
이해를 돕는 필수 어법에 대한 Tip도 함께 제
공하였습니다.

③ 해석 연습 문제
위에서 학습한 문장 해석법을 적용할 수 있
도록 하였습니다. 보다 정확한 문장 해석에
필요한 추가 설명은 〈해석의 Key〉에서 제시
하였습니다.

④ 어법 Quiz
〈어법 Tip〉 내용에 대한 이해도를 간단히 점
검할 수 있는 퀴즈를 제공하였습니다.

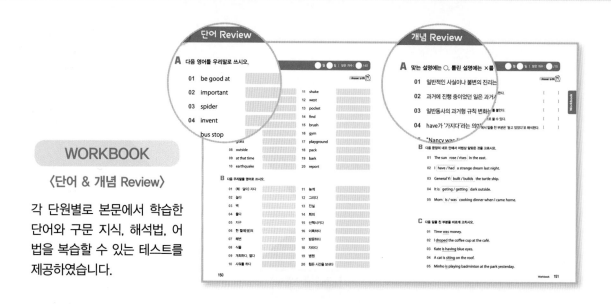

WORKBOOK

〈단어 & 개념 Review〉

각 단원별로 본문에서 학습한
단어와 구문 지식, 해석법, 어
법을 복습할 수 있는 테스트를
제공하였습니다.

STRUCTURE

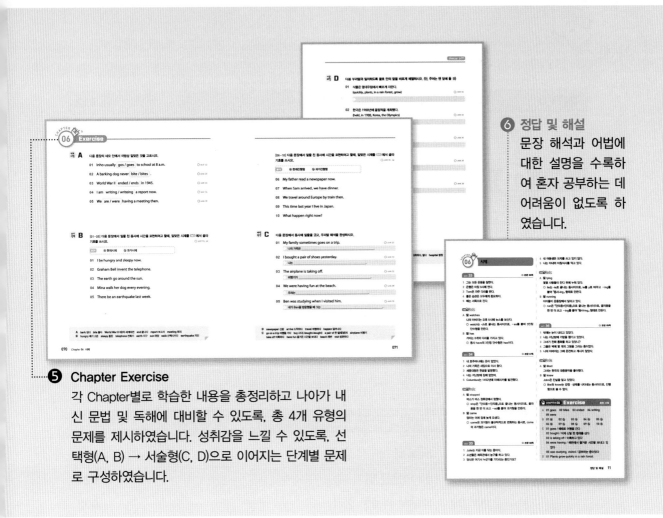

❻ 정답 및 해설
문장 해석과 어법에 대한 설명을 수록하여 혼자 공부하는 데 어려움이 없도록 하였습니다.

❺ Chapter Exercise
각 Chapter별로 학습한 내용을 총정리하고 나아가 내신 문법 및 독해에 대비할 수 있도록, 총 4개 유형의 문제를 제시하였습니다. 성취감을 느낄 수 있도록, 선택형(A, B) → 서술형(C, D)으로 이어지는 단계별 문제로 구성하였습니다.

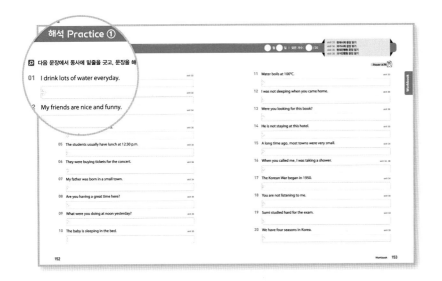

WORKBOOK

〈해석 Practice〉

한 단원 내에서 연관성 높은 skill을 서로 묶어 해석 연습 문제를 제공하였습니다. 본문의 문장과 유사한 문장으로 구성하여, 본문에서 학습한 내용을 완벽히 자신의 것으로 만들기 위한 보충 학습 자료로 활용할 수 있도록 하였습니다.

차례

CONTENTS

차례

CONTENTS

S	주어(Subject)	**M**	수식어(Modifier)
V	동사(Verb)	**( )**	생략할 수 있는 어구
O	목적어(Object)	**to-v**	to부정사
IO	간접목적어(Indirect Object)	**v-ing**	동명사 또는 현재분사
DO	직접목적어(Direct Object)	**v-ed, p.p.**	과거분사
C	보어(Complement)	**/**	의미 단위별 끊어 읽기
SC	주격 보어(Subjective Complement)		
OC	목적격 보어(Objective Complement)		

일러두기

문장 해석 연습 **학습 로드맵**

Workbook에 추가로 제공된 해석 연습 문제를 풀며, **본문의 내용을 반복 학습**하여 취약한 부분을 보충할 수 있도록 합니다.

WORKBOOK
해석 Practice

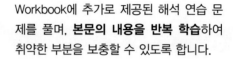

본문
해석 skill 학습

60개 문장 패턴의 해석법과 관련 어법을 공부합니다. 1개의 대표 문장과 4~5개의 연습 문장을 통해 해석법을 확실히 익힌 후, 해설을 통해 정답과 오답을 반드시 확인하고 정리하도록 합니다.

START!
INTRO
필수 기본 지식

본문 학습을 시작하기 전, 학습 내용을 이해하는 데 필요한 가장 **기본적인 개념**을 익히도록 합니다.

충분한 해석 연습을 한 후, 20~25개의 Exercise 문제를 통해 **학습한 내용을 종합적으로 테스트**해보도록 합니다. 틀린 문제의 경우, 문제 옆에 표시되어 있는 연계 skill을 다시 학습하도록 합니다.

**CHAPTER
EXERCISE**

ROAD MAP

Study Plan에 따른 〈학습 로드맵〉입니다.
효과적인 학습을 위해 Study Plan에 따라 학습을 진행하길 권장합니다.

WORKBOOK 개념 Review

단어 학습을 끝낸 후, 개념 Review 문제를 풀며 해당 Chapter에서 학습한 **구문 지식, 해석법, 어법을 다시 점검**해보도록 합니다.

WORKBOOK 단어 Review

Chapter 학습을 끝낸 후, 본문과 Exercise 하단에 있는 **주요 단어를 복습**한 후 테스트해보도록 합니다.

부가 서비스 (홈페이지)

이룸이앤비 홈페이지(http://ms.erumenb.com)에서 〈단어 테스트지〉와 〈본문 해석 연습지〉를 다운받아, 본문의 모든 **주요 단어 및 문장 해석을 마스터**합니다.

STUDY PLAN

학습일	본문		WORKBOOK	학습 날짜
		학습 내용		
	본문		**WORKBOOK**	**학습 날짜**
CHAPTER 01				
Day 01	skill	01~02	해석 Practice ①	_____ 월 _____ 일
Day 02	skill	03~04	해석 Practice ②	_____ 월 _____ 일
Day 03	skill	05~06	해석 Practice ③	_____ 월 _____ 일
Day 04	Exercise		단어 Review, 개념 Review	_____ 월 _____ 일
CHAPTER 02				
Day 05	skill	07~09	해석 Practice ①	_____ 월 _____ 일
Day 06	skill	10~11	해석 Practice ②	_____ 월 _____ 일
Day 07	skill	12~13	해석 Practice ③	_____ 월 _____ 일
Day 08	skill	14~15	해석 Practice ④	_____ 월 _____ 일
Day 09	Exercise		단어 Review, 개념 Review	_____ 월 _____ 일
CHAPTER 03				
Day 10	skill	16~18	해석 Practice ①	_____ 월 _____ 일
Day 11	skill	19~20	해석 Practice ②	_____ 월 _____ 일
	Exercise		단어 Review, 개념 Review	
CHAPTER 04				
Day 12	skill	21~23	해석 Practice ①	_____ 월 _____ 일
Day 13	skill	24~25	해석 Practice ②	_____ 월 _____ 일
	Exercise		단어 Review, 개념 Review	
CHAPTER 05				
Day 14	skill	26~29	해석 Practice ①	_____ 월 _____ 일
Day 15	skill	30~32	해석 Practice ②	_____ 월 _____ 일
Day 16	Exercise		단어 Review, 개념 Review	_____ 월 _____ 일

교과서 주요 문장 패턴 60개를 30일 동안 내 것으로 만들어 보자!
매일매일 풀 양을 정해놓고 일정 시간 동안 꾸준히 풀어본다.

	학습일	본문	WORKBOOK	학습 날짜
			학습 내용	
CHAPTER 06	Day 17	skill 33~36	해석 Practice ①	____월 ____일
	Day 18	Exercise	단어 Review, 개념 Review	____월 ____일
CHAPTER 07	Day 19	skill 37~39	해석 Practice ①	____월 ____일
	Day 20	skill 40~42	해석 Practice ②	____월 ____일
	Day 21	Exercise	단어 Review, 개념 Review	____월 ____일
CHAPTER 08	Day 22	skill 43~45	해석 Practice ①	____월 ____일
	Day 23	skill 46~48	해석 Practice ②	____월 ____일
	Day 24	Exercise	단어 Review, 개념 Review	____월 ____일
CHAPTER 09	Day 25	skill 49~50	해석 Practice ①	____월 ____일
	Day 26	skill 51~53	해석 Practice ②	____월 ____일
	Day 27	skill 54~56	해석 Practice ③	____월 ____일
	Day 28	Exercise	단어 Review, 개념 Review	____월 ____일
CHAPTER 10	Day 29	skill 57~60	해석 Practice ①	____월 ____일
	Day 30	Exercise	단어 Review, 개념 Review	____월 ____일

Note

문장 해석 연습을 위한 **필수 지식**

 품사

1. 명사(Noun)

사람 · 사물 · 동물의 이름을 나타내는 말로, 문장에서 주어 · 목적어 · 보어로 쓰인다.

- **A fly** is **an insect**. (파리는 곤충이다.)
  주어   보어

- **John** plays **soccer**. (John은 축구를 한다.)
  주어   목적어

2. 대명사(Pronoun)

명사를 대신하는 말로, 문장에서 주어 · 목적어 · 보어로 쓰인다.

- Minho bought a camera, but **he** lost **it**. (민호는 지난주에 카메라를 샀는데, 그것을 잃어버렸다.)
       주어   목적어
       (=Minho) (=a camera)

3. 동사(Verb)

사람 · 사물 · 동물의 동작이나 상태를 나타내는 말로, be동사 · 일반동사 · 조동사가 있다.

- I **was** hungry then, but I **am** full now. (나는 그때는 배가 고팠지만, 지금은 배가 부르다.)
  동사(be동사)   동사(be동사)

- I **like** apples, and my sister **likes** oranges. (나는 사과를 좋아하고, 나의 언니는 오렌지를 좋아한다.)
  동사(일반동사)   동사(일반동사)

4. 형용사(Adjective)

명사나 대명사의 성질이나 상태를 나타내는 말로, 문장에서 보어나 수식어로 쓰인다.

- Roses are **beautiful**. (장미는 아름답다.)
       보어

- Elephants are **big** animals. (코끼리는 몸집이 큰 동물이다.)
       수식어(명사 수식)

5. 부사(Adverb)

동사 · 형용사 · 다른 부사 혹은 문장 전체를 꾸며주는 말로, 문장에서 수식어로 쓰인다.

- Seasons change **very quickly**. (계절은 매우 빠르게 바뀐다.)
       부사   부사

6. 전치사(Preposition)

– 명사나 대명사 앞에 쓰여 시간, 장소, 방향, 방법 등을 나타내는 말이다.

– 「전치사＋(대)명사」 형태의 전치사구는 문장에서 수식어구로 쓰인다.

- I get up **at 7 in the morning**. (나는 아침 7시에 일어난다.)
  전치사   전치사구

- The book **on the desk** is mine. (책상 위에 있는 책은 내 것이다.)
  전치사구

7. 접속사(Conjunction)

단어와 단어, 문장과 문장 등 말과 말을 연결하는 말이다.

- Amy is pretty **and** kind. (Amy는 예쁘고 친절하다.)
  접속사(pretty와 kind를 연결)

- I eat chocolate **when** I feel tired. (나는 피곤할 때 초콜릿을 먹는다.)
  접속사(앞 문장과 뒷 문장을 연결)

β 문장 성분

1. 주어(Subject)

동작이나 상태의 주체가 되는 말로, 주로 문장의 맨 앞에 나오며 '~은／는／이／가'로 해석한다.

- **The hero** in the movie is my favorite actor. (그 영화의 주인공은 내가 가장 좋아하는 배우이다.)
  주어

- **To study English** is my hobby. (영어를 공부하는 것은 나의 취미이다.)
  주어

2. 동사(Verb)

주어의 동작이나 상태를 나타내는 말로, 보통 주어 다음에 나오며 '~이다／하다'로 해석한다.

- They **are** noisy. (그들은 시끄럽다.)
  동사(be동사)

- They **shook** their hands. (그들은 악수를 했다.)
  동사(일반동사)

3. 보어(Complement)

동사를 도와 주어나 목적어를 보충 설명해주는 말로, 주어를 보충 설명하는 주격 보어(Subject Complement)와 목적어를 보충 설명하는 목적격 보어(Object Complement)가 있다. 보통 주격 보어는 동사 뒤에, 목적격 보어는 목적어 뒤에 나온다.

- My aunt is **a nurse**. (나의 이모는 간호사이다.)
    - 주격 보어

- Classical music makes me **calm**. (클래식 음악은 나를 차분하게 해준다.)
    - 목적격 보어

4. 목적어(Object)
주어가 하는 동작의 대상이 되는 말이다. 동사 뒤에 나오며, '~을/를'로 해석되는 직접목적어(Direct Object)와 '~에게'로 해석되는 간접목적어(Indirect Object)가 있다.

- Mark reads **a newspaper**. (Mark는 신문을 읽는다.)
    - 직접목적어

- I gave **my parents carnations**. (나는 부모님께 카네이션을 드렸다.)
    - 간접목적어   직접목적어

5. 수식어(Modifier)
다른 말을 꾸며주어 뜻을 더 풍부하게 해주는 말로, 형용사(구)는 명사를 꾸며주고 부사(구)는 동사 · 형용사 · 다른 부사 혹은 문장 전체를 꾸며준다.

- I like **funny** stories **a lot**. (나는 재미있는 이야기를 많이 좋아한다.)
    - 수식어   수식어

- **Luckily**, I found an **empty** seat **in the back row**. (운 좋게도 나는 비어 있는 자리를 뒷줄에서 발견했다.)
    - 수식어   수식어   수식어

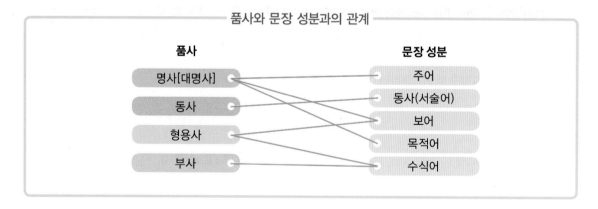

품사와 문장 성분과의 관계

품사	문장 성분
명사[대명사]	주어
동사	동사(서술어)
형용사	보어
부사	목적어
	수식어

 구와 절, 문장

1. 문장
하나의 완결된 의미를 나타내는 단어들의 집합을 문장이라 한다.

2. 구와 절

두 개 이상의 단어가 모여 하나의 품사 역할을 하는 덩어리를 구 또는 절이라고 한다. 그 안에 「주어＋동사」가 있으면 절, 없으면 구라고 한다.

- **Making a decision** is hard. (결정을 하는 것은 어렵다.)

  구(명사 역할을 하는 명사구)

- **While I was jogging**, I fell down. (나는 조깅을 하다가 넘어졌다.)

  절(부사 역할을 하는 부사절)

 끊어 읽기의 기본

의미상 밀접한 단어들끼리 묶은 것을 의미 단위라 한다. 문장을 의미 단위별로 묶어서 끊어 읽으면, 복잡한 문장 구조도 쉽게 파악할 수 있고 해석을 정확하고 빠르게 할 수 있다.

1. 주어가 두 단어 이상이면 동사 앞에서 끊어라

- The most important thing / is your health. (가장 중요한 것은 / 여러분의 건강이다)
- The man with sunglasses / is my new P.E. teacher. (선글라스를 낀 남자는 / 나의 새 체육 선생님이시다)

2. 구나 절 형태의 긴 목적어나 보어 앞에서 끊어라

- I want / to travel around the world. (나는 원한다 / 세계 곳곳을 여행하기를)
- Did you know / that Jane broke up with her boyfriend? (너는 알고 있었니 / Jane이 남자친구와 헤어진 것을)

3. 콤마(,)가 있는 부분에서 끊어라

- If you want, / you can look around. (당신이 원한다면 / 둘러보아도 좋습니다)
- Unfortunately, / I couldn't find my backpack. (불행히도 / 나는 배낭을 찾을 수 없었다)

4. 접속사 앞에서 끊어라

- Please look after my baby / while I'm away. (제 아이 좀 돌봐주세요 / 제가 없는 동안에)
- Her father passed away / when she was six years old. (그녀의 아버지는 돌아가셨다 / 그녀가 여섯 살 때)

5. 전치사구나 부사구 앞에서 끊어라

- I worked there / for about two years. (나는 그곳에서 일했다 / 약 2년간)
- I was born / in Seoul / in 1988. (나는 태어났다 / 서울에서 / 1988년에)

숨마 주니어® 중학 영어 문장 해석 연습 ❶

문장의 틀

● **1형식**

주어+동사

● **2형식**

주어+동사+<u>주격 보어</u>
　　　　　명사, 형용사

● **3형식**

주어+동사+<u>목적어</u>
　　　　　명사, 대명사, 동명사, to부정사

● **4형식**

주어+동사+<u>간접목적어</u>+<u>직접목적어</u>
　　　　　~에게　　　　~을(를)

● **5형식**

주어+동사+목적어+<u>목적격 보어</u>
　　　　　　　　명사, 형용사, to부정사, 동사원형

새들이   노래한다
The birds | sing.
주어   동사

- 주어와 동사만으로 완전한 의미가 성립되는 문장으로, '주어가[는] 동사하다'라고 해석한다. 이때, 의미를 더 풍성하게 해 주는 수식어구가 함께 쓰일 수 있다.

  The birds sing **in the trees**. (새들이 나무에 앉아 노래한다.)

  어법⋅Tip 「There + be동사 + 주어(+ 수식어구)」(~이 …에 있다) 구문도 1형식 문장에 해당된다.

🔍 다음 문장에서 주어에 밑줄을 긋고, 문장을 해석하시오.

1 The sun shines brightly.

⇨

2 The baby cried all night long.

⇨

3 My grandfather walks slowly.

⇨

4 Jina always smiles.

⇨

5 The mall clerks work from 10 to 7.

⇨

🔒 **해석의 Key**

1형식 문장에 사용되는 대표적인 동사로 go, come, run, walk, sit, sing, work, live, swim, smile, cry 등이 있다.

어법⋅Quiz 다음 문장에서 주어로 알맞은 것을 고르시오.

A There is a map on the wall.
　　　① 　② 　③

B There are oranges in the basket.
　　　① 　② 　③

☐ shine 빛나다
☐ brightly 밝게
☐ cry 울다
☐ all night long 밤새도록
☐ smile 미소 짓다
☐ clerk 직원

Answer p.2

오늘은   이다   월요일

Today | is | Monday.

주어   동사   보어

- 주어와 동사만으로 완전한 의미가 성립되지 않고, 주어를 보충하는 **주격 보어가 필요한 문장**이다.
- '주어가[는] 주격 보어이[하]다'라고 해석하고, 주격 보어로는 **명사나 형용사**가 쓰인다.

어법Tip 감각동사인 look, sound, taste, smell, feel(~하게 보이다/들리다/맛이 나다/냄새가 나다/느껴지다)은 보어로 형용사를 취한다.

🔍 다음 문장에서 보어에 밑줄을 긋고, 문장을 해석하시오.

1 My favorite sport is baseball.

2 Everyone stayed still.

3 All the students kept quiet before the principal.

4 Edison was a great inventor.

5 Her hair became gray with age.

🔒 **해석의 Key**

2형식 문장에 사용되는 동사로는 상태를 나타내는 동사(be동사, keep, stay, remain 등)와 변화를 나타내는 동사(become, get, grow, turn 등)가 있다.

어법Quiz 다음 문장의 네모 안에서 어법상 알맞은 것을 고르시오.

A The chicken soup smells delicious / deliciously .

B Silk feels smooth / smoothly .

- baseball 야구
- stay 머무르다
- still 정지한, 조용한
- quiet 조용한
- principal 교장
- inventor 발명가
- gray 회색(의)
- age 나이

skill 03 3형식 문장 읽기

나는   좋아한다   음악을
I | like | music.
주어   동사   목적어

- 주어와 동사만으로 완전한 의미가 성립되지 않고, 동사가 나타내는 행위의 대상인 **목적어가 필요한 문장**이다.
- **'주어가 목적어를 동사하다'**라고 해석하고, **목적어**로는 **명사, 대명사, 동명사, to부정사** 등이 쓰인다.

어법·Tip 명사 역할을 하는 동명사, to부정사, 명사절 등을 명사 상당어구라 하는데, 이들은 명사가 문장에서 하는 역할인 주어, 목적어, 보어로 쓰인다.

🔍 다음 문장에서 목적어에 밑줄을 긋고, 문장을 해석하시오.

1 My father wears glasses.

   ⇨

2 Suho plays the drums in the band.

   ⇨

3 I got a call from him.

   ⇨

4 The repairman fixed my old computer.

   ⇨

5 People wait for the bus at the bus stop.

   ⇨

🔒 **해석의 Key**

1형식, 2형식 문장에 쓰이는 동사(wait, look 등)에 전치사(for, at 등)가 붙어 3형식에 쓰이기도 한다.

어법·Quiz 다음 문장의 네모 안에서 어법상 알맞은 것을 고르시오.

A Most boys like play / to play computer games.

B Ride / Riding a bike is fun.

☐ wear 입다, 착용하다
☐ band 밴드, 악단
☐ repairman 수리공
☐ fix 고치다
☐ wait for ~을 기다리다
☐ bus stop 버스 정류장

Answer p.2

나는   보냈다   그녀에게   꽃을

I | sent | her | flowers.

주어   동사   간접목적어   직접목적어

- '~에게'에 해당하는 **간접목적어**와 '~을[를]'에 해당하는 **직접목적어**를 필요로 하는 문장이다.
- '주어가 간접목적어에게 직접목적어를 동사하다'라고 해석한다.

어법 Tip 전치사 to, for, of를 이용해 4형식 문장을 3형식으로 변환할 수 있다.
     to를 이용하는 동사: give, send, tell, show, teach 등
     for를 이용하는 동사: make, cook, buy, get 등
     of를 이용하는 동사: ask 등

🔍 다음 문장에서 간접목적어와 직접목적어에 각각 밑줄을 긋고, 문장을 해석하시오.

1   The school nurse gave him some pills.

    ⇨

2   My grandmother always tells me interesting stories.

    ⇨

3   The hostess cooked the guests delicious food.

    ⇨

4   I bought Lisa a book for her birthday.

    ⇨

5   The police officer asked them a few questions.

    ⇨

🔒 **해석의 Key**

4형식 문장에 사용되는 동사를 수여동사라고 한다. 수여동사는 공통적으로 '~(해)주다'는 의미를 가진다.

어법 Quiz 다음 문장의 네모 안에서 어법상 알맞은 것을 고르시오.

A   The gentleman showed me the way.

    = The gentleman showed the way [to / for] me.

B   My dad made me a kite.

    = My dad made a kite [to / for] me.

☐ school nurse 보건교사
☐ pill 알약
☐ hostess 여주인
☐ guest 손님
☐ police officer 경찰관
☐ a few 몇몇의, 몇 가지의
☐ question 질문

Answer p.2

그들은	부른다	그를	Jack이라고
They	**call**	**him**	**Jack.**
주어	동사	목적어	목적격 보어(명사)

- 목적어의 성질이나 상태 등을 보충 설명해주는 **목적격 보어를 필요로 하는 문장**이다. 목적격 보어로는 **명사** 또는 **형용사**가 올 수 있고, '**주어가 목적어를 목적격 보어로[라고] 동사하다**'라고 해석한다.

  어법 Tip 4형식 문장과 5형식 문장은 외형은 비슷하지만 해석이 달라지므로 유의한다.

🔍 다음 문장에서 목적어와 목적격 보어에 각각 밑줄을 긋고, 문장을 해석하시오.

1 I named my cat Tom.

⇨

2 Kindness makes the world a good place.

⇨

3 My classmates consider me a responsible person.

⇨

4 The bad news kept everyone in the room quiet.

⇨

5 I found him very rich.

⇨

🔒 **해석의 Key**

목적격 보어로 명사가 오면 '목적어=목적격 보어'의 관계가 되고, 목적격 보어로 형용사가 오면 목적격 보어가 목적어를 보충 설명한다.

어법 Quiz 다음 문장의 형식으로 알맞은 것을 고르시오.

A Suji's father made her a swing. [4형식 / 5형식]

B Lots of effort made Suji a great singer. [4형식 / 5형식]

□ **name** 이름 짓다
□ **kindness** 친절
□ **place** 장소
□ **consider** (~로) 여기다, 생각하다
□ **responsible** 책임감 있는
□ **quiet** 조용한

Answer p.2

skill 06 | 5형식 문장 읽기 (2)

엄마는	원하신다	내가	공부를 열심히 하기를
Mom	**wants**	**me**	**to study hard.**
주어	동사	목적어	목적격 보어 (to부정사)

- 목적어의 성질이나 상태 등을 보충 설명해주는 **목적격 보어**로 **to부정사**가 오는 **문장**이다.
- '주어는[가] 목적어가[에게] 목적격 보어하기를[하라고] 동사하다'라고 해석한다.

어법 Tip '시키다'는 뜻을 가진 사역동사(make, let, have 등)나 느끼고 인식하는 뜻을 가진 지각동사(hear, see, watch, smell, feel 등)가 오면 목적격 보어로 동사원형을 쓴다.

🔍 다음 문장에서 목적격 보어에 밑줄을 긋고, 문장을 해석하시오.

1 I wish you to succeed.

⇨

2 The doctor told my father to quit smoking.

⇨

3 Nobody expected the team to win the game.

⇨

4 The teacher advised us to read more books.

⇨

5 Will you help me move the furniture?

⇨

🔑 **해석의 Key**
help 동사는 목적격 보어로 to부정사와 동사원형을 모두 취할 수 있다.

어법 Quiz 다음 문장의 네모 안에서 어법상 알맞은 것을 고르시오.

A The P.E. teacher made the students | stand / to stand | still.

B I saw him | enter / to enter | the building.

☐ **succeed** 성공하다
☐ **quit** 그만두다
☐ **smoke** 담배를 피우다
☐ **expect** 기대하다
☐ **advise** 충고하다
☐ **furniture** 가구

Answer p.3

네모 어법 A 다음 문장의 네모 안에서 어법상 알맞은 것을 고르시오.

01 The leaves | fall / turn | in autumn. ⟳ skill 01

02 His face became | red / redly | with anger. ⟳ skill 02

03 We | looked / looked at | the stars in the sky. ⟳ skill 03

04 Could you lend | I / me | some money? ⟳ skill 04

05 Mom allowed me | join / to join | the summer camp. ⟳ skill 06

보기 선택 B [01-05] 다음 문장에서 밑줄 친 부분의 쓰임을 보기 에서 골라 기호를 쓰시오. ⟳ skill 02, 03, 05

보기   ⓐ 보어   ⓑ 목적어

01 The man became <u>famous</u> overnight.

02 I eat <u>an apple</u> every morning.

03 You can call me <u>Dorothy</u>.

04 The picture made <u>the baby</u> smile.

05 Mozart is <u>a great musician</u>.

A leaf 나뭇잎(복수형은 leaves) face 얼굴 anger 화, 분노 lend 빌려주다 allow 허락하다
B overnight 밤사이에 picture 그림, 사진 musician 음악가

skill 04

[06-10] 다음 문장에서 밑줄 친 부분의 쓰임을 보기 에서 골라 기호를 쓰시오.

보기 ⓐ 간접목적어(~에게)　　ⓑ 직접목적어(~을/를)

06 Please give me a hand.

07 I will tell you a funny story.

08 She wrote me a long letter.

09 He bought his little sister a doll.

10 Why don't you send her an email?

해석완성 C 다음 문장에서 보어와 목적어에 각각 밑줄을 긋고 보어는 C, 목적어는 O라고 표시한 후, 우리말 해석을 완성하시오.

01 I am a cook. skill 01

　나는 _____.

02 Mina is pretty and kind. skill 02

　미나는 _____.

03 I will finish my homework by 5. skill 03

　나는 _____.

04 Mom bought me new sneakers. skill 04

　엄마는 나에게 _____.

05 I consider him honest. skill 05

　나는 그가 _____.

B give a hand 도와주다　doll 인형
C pretty 예쁜　finish 끝내다　sneakers 운동화　honest 정직한

어순 배열 **D** 다음 우리말과 일치하도록 괄호 안의 말을 바르게 배열하시오.

01 은행은 주말에 문을 닫는다.
(close, banks, on weekends)

↻ skill 01

02 초콜릿 케이크는 너무 달았다.
(the chocolate cake, tasted, too sweet)

↻ skill 02

03 우리는 인터넷에서 많은 정보를 찾는다.
(we, on the Internet, lots of information, look for)

↻ skill 03

04 그녀는 나에게 자신의 새 휴대전화를 보여주었다.
(she, me, showed, her new cell phone)

↻ skill 04

05 나의 선생님은 나에게 매일 복습을 하라고 말씀하셨다.
(told, every day, my teacher, to review, me)

↻ skill 06

D **bank** 은행   **weekend** 주말   **sweet** (맛이) 단   **look for** ~을 찾다   **information** 정보   **cell phone** 휴대전화
review 복습하다

문장의 종류

● 평서문

말하는 이가 하고 싶은 말을 평범하고 단순하게 진술하는 문장

● 의문문

상대방에게 질문하여 대답을 요구하는 문장

● 부가의문문

상대방에게 확인·동의를 구하기 위해, 평서문 바로 뒤에 붙여서 사용하는 의문문

● 의문사

사람, 시간, 장소 등의 구체적인 내용을 물을 때 사용하는 말
who(누구), what(무엇), which(어떤 것), when(언제), where(어디에서), why(왜), how(어떻게)

● 명령문

상대방에게 어떤 행동을 하도록 명령하거나 지시하는 문장

● 감탄문

기쁨, 슬픔, 놀람 등의 감정을 강하게 나타내는 문장

~이니   이것은   너의 책

Is | this | your book?

be동사   주어

- 「be동사＋주어~?」 형태의 be동사 의문문은 '주어는 ~(이)니?', '주어는 ~에 있니?'라고 해석한다.
- be동사의 부정형이 오면 '주어는 ~(이)지 않니?', '주어는 ~에 있지 않니?'라고 해석한다.

어법 Tip be동사 의문문에 대한 대답: 「Yes, 주어 + be동사.」 (긍정) / 「No, 주어 + be동사 + not.」 (부정)

🔍 다음 밑줄 친 부분에 유의하여 문장을 해석하시오.

1 <u>Am I</u> your first guest?

⇨ _____

2 <u>Were you</u> a cheerleader in school?

⇨ _____

3 <u>Are the students</u> in the auditorium now?

⇨ _____

4 <u>Is Yura</u> interested in music?

⇨ _____

5 A: <u>Wasn't the service</u> good?
   B: Yes, it was.

⇨ A: _____
   B: _____

🔒 **해석의 Key**
(조)동사의 부정형으로 시작하는 부정의문에 답할 때 대답의 내용이 긍정이면 Yes, 부정이면 No로 답한다.

어법 Quiz 다음 문장의 네모 안에서 어법상 알맞은 것을 고르시오.

A M: Are you hungry?   W: | Yes, I am. / Yes, you are. |

B M: Was the test difficult?   W: | No, it was. / No, it wasn't. |

- [ ] guest 손님
- [ ] cheerleader 치어리더
- [ ] auditorium 강당
- [ ] interested 흥미[관심] 있는
- [ ] service 서비스; 봉사
- [ ] difficult 어려운

Answer p.3

너는   반려동물을 가지고 있니

Do | you | have a pet?
조동사 Do   주어   동사원형

- 「Do/Does[Did]＋주어＋동사원형～?」 형태의 do 의문문은 '주어는 ～하니[했니]?'라고 해석한다.
- Do/Does[Did]의 부정형이 오면 '주어는 ～하지 않(았)니?'라고 해석한다.

어법 Tip do 의문문에 대한 대답: 「Yes, 주어＋do/does[did].」(긍정) / 「No, 주어＋don't/doesn't[didn't].」(부정)

🔍 다음 밑줄 친 부분에 유의하여 문장을 해석하시오.

1   <u>Do they go</u> to the same school?

    ➪

2   <u>Does she live</u> in your neighborhood?

    ➪

3   <u>Did you enjoy</u> your trip to Japan?

    ➪

4   <u>Do we need</u> more batteries?

    ➪

5   A: <u>Didn't you hear</u> the weather forecast?

    B: No, I didn't.

    ➪ A:
        B:

해석의 Key

do 의문문에서 문장의 맨 앞에 있는 do는 문법적 기능을 하는 조동사로, 따로 해석하지 않는다.

어법 Quiz 다음 문장의 네모 안에서 어법상 알맞은 것을 고르시오.

A   M: Do you love your parents?   W: Yes, I do. / Yes, you do.

B   M: Did I miss anything?   W: No, you did. / No, you didn't.

□ same 같은, 동일한
□ neighborhood 동네, 이웃
□ enjoy 즐기다
□ trip 여행
□ battery 건전지, 배터리
□ weather forecast 일기
   예보
□ miss 놓치다, 이해하지
   못하다

Answer p.4

무엇　～이니　너의 이름은

What | is | your name?

의문사　be동사　주어

• 의문사로 구체적인 내용을 묻는 의문사 의문문의 형태는 다음과 같다.

「who / what / which + 동사~?」	'누가 / 무엇이 / 어떤 것이 ~하니?'
「의문사 + be동사 + 주어~?」	'주어는 누구 / 무엇 / 어떤 것 / 언제 / 어디서 / 왜 / 어떻게 ~(이)니?'
「의문사 + do / does[did] + 주어 + 동사~?」	'주어는 누구를 / 무엇을 / 어떤 것을 / 언제 / 어디서 / 왜 / 어떻게 ~하니?'

• How 의문문에서 How 뒤에 형용사나 부사가 오면, How는 '얼마나'라고 해석한다.

어법 Tip 의문사 의문문에는 Yes나 No로 답하지 않고, 묻고 있는 내용에 관해 구체적인 답을 해야 한다.

🔍 다음 문장에서 의문사에 밑줄을 긋고, 문장을 해석하시오.

1 Who invented the telephone?

2 Which bag did you buy?

3 Where did you find your earrings?

4 How often do you take a shower?

5 Why didn't you wake me?

🔒 **해석의 Key**

What / Which 뒤에 명사가 오면 What / Which는 '무슨 / 어떤'이라고 해석한다.

어법 Quiz 다음 문장의 네모 안에서 어법상 알맞은 것을 고르시오.

A W: When is the sports day?　M: Yes, it is. / Next Friday.

B W: How is it going?　M: Fine, thanks. / No, it isn't.

☐ invent 발명하다
☐ find 찾다, 발견하다
☐ earrings 귀걸이
☐ often 자주, 종종
☐ take a shower 샤워를 하다
☐ wake 깨우다
☐ sports day 운동회 날

Answer p.4

조용히 해라   도서관에서는

Be quiet | in the library.
동사원형

- 명령문은 주어를 생략하고 동사원형으로 시작하며, '~해라[하세요]'라고 해석한다.
- 「Don't[Never]+동사원형~」은 부정 명령문으로, '~하지 마라[마세요]'라고 해석한다.

어법 Tip 명령문에서 생략된 주어는 You이다. 명령문 뒤에 붙은 「~, will you?」는 '~, 그래줄래?'라고 해석하며, 상대에게 확인을 받기 위해 쓴다.

Q 다음 문장에서 동사에 밑줄을 긋고, 문장을 해석하시오.

1 Finish the work in ten minutes.

↪

2 Don't skip your breakfast.

↪

3 Take the stairs instead of the elevator.

↪

4 Never be afraid of failure.

↪

5 Please return to your seats right now.

↪

🔒 **해석의 Key**

명령문의 앞이나 뒤에 *please*를 쓰면 공손한 부탁이나 요청의 표현이 된다.

어법 Quiz 다음 문장의 네모 안에서 어법상 알맞은 것을 고르시오.

A Lend me your cell phone for a while, will | I / you | ?

B Don't be late for the field trip, | will / can | you?

□ finish 끝내다
□ skip 거르다, 건너뛰다
□ stair 계단
□ instead of ~ 대신에
□ afraid 두려워하는
□ failure 실패
□ return 돌아가다

Answer p.4

최선을 다해라   그러면 너는 좋은 결과를 얻을 것이다
Do your best, | and you will get a good result.
명령문   접속사

- 「명령문, and ~」는 '…해라, 그러면 ~할 것이다'로 해석하고, 「명령문, or ~」는 '…해라, 그렇지 않으면 ~할 것이다'로 해석한다.

어법 Tip 「명령문, and[or] ~」 문장은 조건의 접속사 if를 사용하여 바꿔 쓸 수 있다.
Leave now, and you will not be late. = If you leave now, you will not be late.
Leave now, or you will be late. = If you don't leave now, you will be late.

🔍 다음 밑줄 친 부분에 유의하여 문장을 해석하시오.

1 Eat less, and you will lose weight.

⇨ [   ]

2 Never run near a pool, or you will fall down.

⇨ [   ]

3 Be kind to others, and they will be kind to you.

⇨ [   ]

4 Hurry up, or you will miss the school bus.

5 Don't tell a lie, or people won't trust you.

⇨ [   ]

🔒 **해석의 Key**
won't는 will not의 축약형이다.

어법 Quiz 다음 문장의 네모 안에서 어법상 알맞은 것을 고르시오.

A If you wear a helmet, you'll be safe.

= Wear a helmet, | and / or | you'll be safe.

B If you don't go home now, they'll be worried.

= Go home now, | and / or | they'll be worried.

□ less 덜, 더 적게
□ lose weight 체중이 줄다
□ pool 수영장
□ fall down 넘어지다
□ hurry up 서두르다
□ lie 거짓말
□ trust 신뢰하다, 믿다
□ safe 안전한

Answer p.4

정말	아름다운	날	오늘은	이구나
What	**a**	**beautiful**	**day**	**today**	**is!**
What	부정관사	형용사	명사	주어	동사

- 「What(+a/an)+형용사+명사+주어+동사!」는 '주어는 정말[얼마나] 형용사한 명사이구나[명사인가]!'라고 해석한다.

어법Tip 복수명사나 셀 수 없는 명사가 쓰인 경우 What 뒤에 부정관사 a나 an을 쓰지 않음에 유의한다.

🔍 다음 밑줄 친 부분에 유의하여 문장을 해석하시오.

1 What a great idea it is!

⇨

2 What an interesting story (it is)!

⇨

3 What an amazing world we live in!

⇨

4 What fancy accessories these are!

⇨

5 What long hair she has!

⇨

🔒 **해석의 Key**
What 감탄문에서 종종 주어와 동사는 생략되기도 한다.

어법Quiz 다음 문장의 네모 안에서 어법상 알맞은 것을 고르시오.

A What | a delicious cookies / delicious cookies | they are!

B What | a useful information / useful information | it is!

□ **interesting** 재미있는, 흥미로운
□ **amazing** 놀라운
□ **world** 세상, 세계
□ **fancy** (장식이) 화려한
□ **accessory** 액세서리
□ **delicious** 맛있는
□ **useful** 유용한
□ **information** 정보

Answer p.4

skill **13**　How 감탄문 읽기

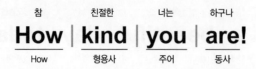

참　　　친절한　　　너는　　　하구나
How | kind | you | are!
How　　　형용사　　　주어　　　동사

- 「How+형용사/부사+주어+동사!」는 '주어는 정말[참] 형용사하구나!' 또는 '주어는 정말[참] 부사하게 동사하는구나!' 라고 해석한다.

어법 Tip 명사를 강조할 때는 What 감탄문을 쓰는 반면, 형용사나 부사를 강조할 때는 How 감탄문을 쓴다.

🔍 다음 밑줄 친 부분에 유의하여 문장을 해석하시오.

1　<u>How</u> lovely (she is)! 🔑

　⇨

2　<u>How</u> fast the runner runs!

　⇨

3　<u>How</u> funny the comedian is!

　⇨

4　<u>How</u> cute the dolls are!

　⇨

5　<u>How</u> soundly the baby sleeps!

　⇨

🔒 **해석의 Key**
How 감탄문에서 종종 주어와 동사는 생략되기도 한다.

어법 Quiz 다음 문장의 네모 안에서 어법상 알맞은 것을 고르시오.

A　| How / What | long the bridge is!

B　| How / What | loudly they shouted!

☐ **fast** 빠르게
☐ **runner** 주자, 달리기 선수
☐ **comedian** 코미디언
☐ **doll** 인형
☐ **soundly** 깊이, 곤히
☐ **bridge** 다리
☐ **loudly** 크게
☐ **shout** 소리치다

034　Chapter 02 문장의 종류

Answer p.5

너는 영어를 잘 한다   그렇지 않니
You speak English well, | don't you?
긍정문   조동사 do+not 주격대명사

- 「긍정문, 조동사[be동사]＋not＋주격대명사?」 형태의 부정형 부가의문문은 '~, 그렇지 않니?'라고 해석한다.

어법Tip 부가의문문의 동사는 앞 문장의 동사에 따라 결정된다. be동사가 쓰인 문장 뒤에 오는 부가의문문은 be동사를 그대로 쓰고, 일반동사가 쓰인 문장 뒤에 오는 부가의문문은 do/does[did]를 쓴다.

🔍 다음 문장에서 부가의문문에 밑줄을 긋고, 문장을 해석하시오.

1 Tommy is your brother, isn't he?

⤷ _____

2 He belongs to this company, doesn't he?

⤷ _____

3 Sujin and you are in the same class, aren't you?

⤷ _____

4 They went hiking yesterday, didn't they?

⤷ _____

5 You were angry with me, weren't you?

⤷ _____

🔑 **해석의 Key**
부가의문문의 주격대명사는 앞에 나온 문장의 주어와 동일한 대상을 가리킨다.

어법Quiz 다음 문장의 네모 안에서 어법상 알맞은 것을 고르시오.

A Sora is your best friend, | isn't / doesn't | she?

B You got up early, | weren't / didn't | you?

☐ **brother** 형, 오빠, 남동생
☐ **belong to** ~에 속하다
☐ **company** 회사
☐ **go hiking** 등산하러 가다
☐ **angry** 화가 난
☐ **early** 일찍

Answer p.5

너는 회사에 없었어   그렇지
You weren't at work, | were you?
부정문   be동사   주격대명사

- 「부정문, 조동사[be동사]+주격대명사?」 형태의 긍정형 부가의문문은 '~, 그렇지?'라고 해석한다.

어법 Tip 「Let's (not) ~」은 '(우리) ~하자/하지말자'의 뜻으로, 권유나 제안을 할 때 쓴다. 긍정문이든 부정문이든 상관없이 끝에 「~, shall we?」를 붙여 부가의문문을 만들고 '~, 어때?'라고 해석한다.

🔍 다음 문장에서 부가의문문에 밑줄을 긋고, 문장을 해석하시오.

I didn't pay you back, did I?

↪

Charlie doesn't like bright colors, does he?

↪

3   They aren't popular in your country, are they?

↪

4   This computer isn't working well, is it?

↪

5   Don't make any noise, will you?

↪

🔒 **해석의 Key**

명령문은 긍정문이든 부정문이든 상관없이 끝에 「~, will you?」를 붙여 부가의문문을 만들고 '~, 그래줄래?'라고 해석한다.

어법 Quiz 다음 문장의 네모 안에서 어법상 알맞은 것을 고르시오.

A   Let's go shopping, | shall / will | we?

B   Let's not go there, | shall / will | we?

□ **pay ~ back** ~에게 (빌린) 돈을 갚다
□ **bright** 밝은
□ **popular** 인기 있는
□ **country** 나라, 국가
□ **work** 작동하다
□ **make a noise** 소리를 내다, 시끄럽게 하다

Answer p.5

A 다음 문장의 네모 안에서 어법상 알맞은 것을 고르시오.

01 A: Aren't you bored?   B: Yes / No , I'm not. ↻ skill 07

02 Who / Where is your hometown? ↻ skill 09

03 Be / Do polite to elderly people. ↻ skill 10

04 Listen to your teacher carefully, or / and she will get angry. ↻ skill 11

05 How / What an expensive car he has! ↻ skill 12

B 다음 문장에서 밑줄 친 부분의 쓰임을 보기 에서 골라 기호를 쓰시오. ↻ skill 08, 09, 10, 13

보기   ⓐ 일반동사   ⓑ 조동사

01 Don't you need a little help?

02 Don't take pictures in the art gallery.

03 How well he does the job!

04 Do you have time now?

05 What activity do you do with your child?

A bored 지루한 hometown 고향 polite 예의 바른 elderly 연세가 드신 carefully 주의 깊게 expensive 비싼
B need 필요로 하다 take a picture 사진을 찍다 art gallery 미술관 job 일, 직업 activity 활동

해석
완성 **C** 다음 문장에서 동사에 밑줄을 긋고, 우리말 해석을 완성하시오.

01 A: Are you tired?   B: Yes, I am.   ↻ skill 07

A: 너는 _____? B: _____.

02 What nice sunglasses you're wearing!   ↻ skill 12

너는 정말 _____!

03 Don't be nervous, and you will do well.   ↻ skill 11

긴장하지 마, _____.

04 Sanghun is absent today, isn't he?   ↻ skill 14

상훈이는 오늘 _____?

어순
배열 **D** 다음 우리말과 일치하도록 괄호 안의 말을 바르게 배열하시오.

01 누가 그 대회에서 1등을 했니? (won, in the contest, who, first place)   ↻ skill 09

02 창문을 닫아, 그렇지 않으면 바닥이 젖을 거야.
(or, the window, get wet, close, will, the floor)   ↻ skill 11

03 소파가 참 편안하구나! (the sofa, comfortable, how, is)   ↻ skill 13

04 너는 나에게 동의하지 않는구나, 그렇지? (do, you, agree with, don't, me, you)   ↻ skill 15

C tired 피곤한 wear 쓰다, 입다 nervous 긴장한 absent 결석한
D win first place 1등을 하다 contest 대회 window 창문 wet 젖은 floor 바닥 comfortable 편안한 agree 동의하다

CHAPTER 03

주어
문장의 구성 요소 ①

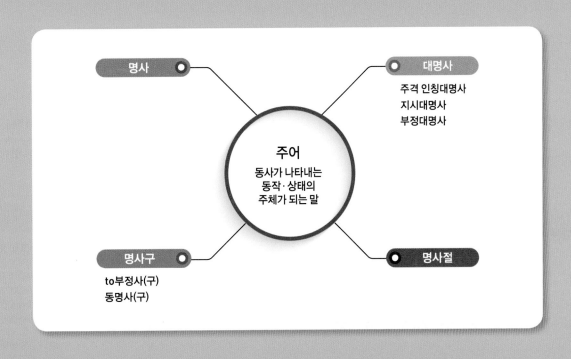

명사

대명사
주격 인칭대명사
지시대명사
부정대명사

주어
동사가 나타내는
동작 · 상태의
주체가 되는 말

명사구
to부정사(구)
동명사(구)

명사절

시간은   흐른다   화살처럼
Time | flies | like an arrow.
주어(명사)   동사

- **주어** 자리에는 기본적으로 **명사 · 대명사**가 온다. 명사 · 대명사의 의미에 '**- 은[는] / - 이[가]**'를 붙여 해석한다.
- 주어 자리에 오는 대명사로는 주격 인칭대명사(I, you, he, she, we, they), 지시대명사(this, that, it, these, those), 부정대명사(one, the other, some, all 등)가 있다.

어법 Tip 셀 수 없는 명사가 주어로 쓰이면 단수 취급하여, 뒤에 단수 동사가 온다.

🔍 다음 문장에서 주어에 밑줄을 긋고, 문장을 해석하시오.

1 Mary is at school now.

⇨

2 We planted apple trees.

⇨

3 It hurts a little at first.

⇨

4 These look so comfortable.

⇨

5 One is black and the other is white.

⇨

🔒 **해석의 Key**

「one ~ the other …」:
(2개 중) 하나는 ~ 다른 하나는 …

어법 Quiz 다음 문장의 네모 안에서 어법상 알맞은 것을 고르시오.

A Happiness | lies / lie | in your heart.

B This water | is / are | clean and cold.

□ plant (식물을) 심다
□ hurt 아프다
□ a little 약간[조금]
□ at first 처음에는
□ comfortable 편안한
□ happiness 행복
□ heart 마음
□ clean 맑은, 깨끗한

Answer p.6

「There + be동사 + 주어 ~」문장 읽기

있다　　　　　　　많은 차들이　　　　　　거리에
There are │ many cars │ on the street.
There + be동사　　　　　주어

• 「There + be동사 + 주어~」는 '~이 (…에) 있다[있었다]'로 해석한다.

어법Tip 「There + be동사 + 주어 ~」 문장에서 주어가 단수이면 be동사는 is[was], 복수이면 are[were]를 쓴다.

🔍 다음 문장에서 주어에 밑줄을 긋고, 문장을 해석하시오.

1 There is a lot of water in the sea.

⇨

2 There was a stranger in front of my house.

⇨

3 There are four people around the table.

⇨

4 There aren't many stars tonight.

⇨

5 There weren't any deer in the forest.

⇨

🔒 **해석의 Key**
• 「There + be동사 + not + many ~」: ~가 많지 않다
• 「There + be동사 + not + any ~」: ~가 전혀 없다

어법Quiz 다음 문장의 네모 안에서 어법상 알맞은 것을 고르시오.

A There │ are / is │ a movie theater near here.

B There │ isn't / aren't │ many customers in that store.

□ stranger 낯선 사람
□ in front of ~의 앞에
□ tonight 오늘밤
□ deer 사슴
□ forest 숲
□ movie theater 영화관
□ customer 손님

Answer p.6

눈이 왔다   그해에는 매우 많이

It | snowed | so much that year.
비인칭 주어   동사

- it은 시간, 날짜, 거리, 날씨, 온도, 계절, 명암, 가격, 상황 등을 표현하는 문장에서 주어로 쓰인다. 이때 it은 해석하지 않는다.

어법 Tip 대명사 it는 '그것'으로 해석하므로, 비인칭 주어 it과 구분해야 한다.

🔍 다음 밑줄 친 부분에 유의하여 문장을 해석하시오.

1 It is five dollars an hour.

⇨

2 It was Monday morning.

⇨

3 It takes about ten minutes by bus.

⇨

🔒 **해석의 Key**
동사 take의 목적어로 시간과 관련된 표현이 오면, take를 '(얼마의 시간이) 걸리다'로 해석한다.

4 It is bright in the room.

⇨

5 It is really noisy in here.

⇨

어법 Quiz 다음 문장의 네모 안에서 밑줄 친 It의 쓰임으로 알맞은 것을 고르시오.

A It is on the first floor. 비인칭 주어 / 대명사

B It is summer now. 비인칭 주어 / 대명사

□ **hour** 시간
□ **about** 약, ~쯤
□ **minute** (시간 단위의) 분
□ **bright** 밝은
□ **really** 몹시, 정말로
□ **noisy** 시끄러운
□ **floor** 층
□ **summer** 여름

자전거를 타는 것은   이다   좋은 운동
Riding a bicycle | is | good exercise.
주어(동명사)   동사   보어

- 동명사(동사-ing)가 주어인 경우 '~하는 것은[것이]', '~하기는'으로 해석한다. 이때 동명사 주어는 다른 표현을 동반하여 길어질 수 있다.
- 동명사로 시작하는 문장을 해석할 때, 우선 문장 전체의 동사를 찾고 그 앞까지를 주어로 묶어 해석한다.

어법 Tip 동명사(구) 주어는 항상 단수로 취급하므로, 뒤에 단수 동사가 온다.

🔍 다음 문장에서 주어에 밑줄을 긋고, 문장을 해석하시오.

1 Learning English is fun.

↪

2 Finishing the work was impossible.

↪

3 Cleaning the house takes a lot of time.

↪

4 Never telling a lie is my motto. 🔑

↪

5 Eating at night makes you fat.

↪

🔒 **해석의 Key**
「부정어(not/never) + 동명사(구)」는 '~하지 않는 것', '~하지 않기'로 해석한다.

어법 Quiz 다음 문장의 네모 안에서 어법상 알맞은 것을 고르시오.

A Making new friends is / are not easy.

B Buying cars cost / costs lots of money.

☐ **learn** 배우다
☐ **finish** 끝내다
☐ **impossible** 불가능한
☐ **clean** 청소하다
☐ **take** (시간이) 걸리다
☐ **lie** 거짓말
☐ **motto** 좌우명
☐ **easy** 쉬운
☐ **cost** (돈이) 들다

Answer p.6

열심히 공부하는 것은　　　하다　　중요한
To study hard | is | important.
주어(to부정사)　　　　동사　　　보어

- to부정사(to+동사원형)가 주어인 경우 '~하는 것은[것이]', '~하기는'으로 해석한다. 이때 to부정사 주어는 다른 표현을 동반하여 길어질 수 있다.
- to부정사로 시작하는 문장을 해석할 때, 우선 문장 전체의 동사를 찾고 그 앞까지를 주어로 묶어 해석한다.

어법 Tip to부정사(구) 주어는 항상 단수로 취급하므로, 뒤에 단수 동사가 온다.

🔍 다음 문장에서 주어에 밑줄을 긋고, 문장을 해석하시오.

1 To write a poem is difficult.

⇨ [   ]

2 To travel around the country is my plan.

⇨ [   ]

3 To help people in need is important.

⇨ [   ]

4 To clean your room isn't hard work.

⇨ [   ]

5 Not to use bad language is necessary.

⇨ [   ]

🔒 **해석의 Key**
「부정어(not/never) + to
부정사(구)」는 '~하지 않
는 것', '~하지 않기'로 해
석한다.

□ poem 시
□ difficult 어려운
□ country 나라, 국가
□ plan 계획
□ in need 어려움에 처한
□ important 중요한
□ use 사용하다
□ language 말, 언어
□ necessary 필수적인

어법 Quiz 다음 문장의 네모 안에서 어법상 알맞은 것을 고르시오.

A To eat many candies | is / are | not good for your teeth.

B To read books | make / makes | you smart.

Answer p.6

A 다음 문장의 네모 안에서 어법상 알맞은 것을 고르시오.

01 Love don't / doesn't last forever. ↻ skill 16

02 There was / were the smell of rotten fish in the air. ↻ skill 17

03 That / It is July 7. ↻ skill 18

04 Shop / Shopping online is convenient. ↻ skill 19

05 To lose five kilograms is / are my goal. ↻ skill 20

B 다음 문장에서 밑줄 친 부분의 쓰임을 보기에서 골라 기호를 쓰시오. ↻ skill 16, 18

> 보기 ⓐ 대명사 ⓑ 비인칭주어

01 It is still sunny outside.

02 It is a nice building.

03 It is so hot today.

04 It looks like a turtle.

05 It is a crowded area.

A last 지속되다 forever 영원히 smell 냄새 rotten 상한, 썩은 air 공기 convenient 편리한 lose (체중을) 감량하다
goal 목표
B outside 밖에 building 건물 look like ~처럼 보이다 turtle 거북이 crowded 붐비는 area 지역

해석완성 C 다음 문장에서 주어에 밑줄을 긋고, 우리말 해석을 완성하시오.

01 There isn't a flower in the vase. ↻ skill 17

꽃병에 _____.

02 It is far from here to the subway station. ↻ skill 18

_____ 지하철역까지는 _____.

03 Being a cheerleader is my dream. ↻ skill 19

치어리더가 _____.

04 To take pictures is my hobby. ↻ skill 20

사진을 _____.

어순배열 D 다음 우리말과 일치하도록 괄호 안의 말을 바르게 배열하시오.

01 어떤 이들은 스키를 매우 잘 탄다. (are, skiing, some, very good at) ↻ skill 16

02 세상에는 다양한 직업들이 많습니다. (different jobs, there are, in the world, many) ↻ skill 17

03 돈을 벌기는 어렵지만, 돈을 쓰기는 쉽다.
(but, is difficult, spending money, is easy, making money) ↻ skill 19

04 손톱을 물어뜯는 것은 나쁜 버릇이다. (to bite, is, your nails, a bad habit) ↻ skill 20

C vase 꽃병 far (거리가) 먼 subway station 지하철 역 cheerleader 치어리더
D be good at ~을 잘하다 different 다양한, 다른 spend 쓰다, 소비하다 bite 물다 nail 손톱 habit 습관

CHAPTER

04

목적어

문장의 구성 요소 ②

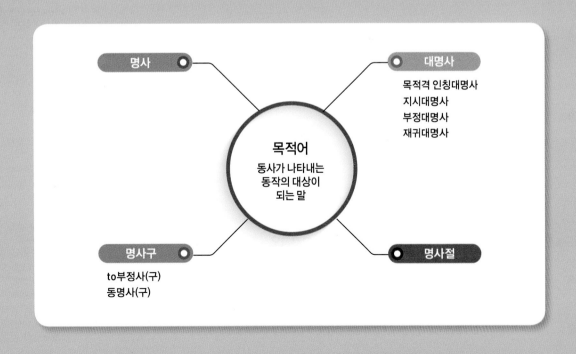

명사 · 대명사인 목적어인 문장 읽기

나는　　알고 있다　　그녀를　　매우 잘
I | know | her | very well.
주어　　　　동사　　　목적어(대명사)

- **목적어** 자리에는 기본적으로 **명사 · 대명사**가 온다. 명사 · 대명사의 의미에 '**-을[를]**'을 붙여 해석한다.
- 목적어 자리에 오는 대명사로는 목적격 인칭대명사(me, you, him, her, us, them), 지시대명사(this, that, it, these, those), 부정대명사(one, another, others 등)가 있다.

어법 Tip 부정대명사 one은 앞에 나온 명사를 대신하는 말이다. 복수 명사를 받는 경우에는 ones를 쓴다.

🔍 다음 문장에서 목적어에 밑줄을 긋고, 문장을 해석하시오.

1 The farmer has many chickens.

⇨

2 Police officers protect us.

⇨

3 Between the two ways, I took the wrong one.🔑

⇨

4 I don't like this. Show me another.🔑

⇨

5 He treats others🔑 with respect.

⇨

🔒 **해석의 Key**
- one: 것, 하나
- another: 또 하나[한 사람], 다른 것[사람]
- others: 다른 것들[사람들], 남, 타인

어법 Quiz 다음 문장의 네모 안에서 어법상 알맞은 것을 고르시오.

A I lost my bag. I have to buy another ﹇ one / ones ﹈.

B Give me two red pens and three blue ﹇ one / ones ﹈.

□ **farmer** 농부
□ **chicken** 닭
□ **police officer** 경찰관
□ **protect** 보호하다
□ **way** 길, 방법
□ **show** 보여주다
□ **treat** 대하다, 대접하다
□ **respect** 존중[존경]
□ **lose** 잃다

Answer p.7

재귀대명사가 목적어인 문장 읽기

그 고양이는   핥았다   그 자신을

The cat | licked | itself.
주어   동사   목적어(재귀대명사)

- 재귀대명사는 인칭대명사의 목적격이나 소유격에 -self(단수), -selves(복수)를 붙인 말로, '~ 자신'으로 해석한다. 주어의 동작이 주어 자신에게 가해지는 것을 나타낼 때, 목적어 자리에 재귀대명사가 온다.(재귀용법)

어법 Tip 재귀대명사는 명사·대명사를 강조하기 위해 문장에 더해지기도 한다.(강조용법) 이때 '스스로', '직접'으로 해석하며, 목적어가 아니므로 생략할 수 있다.

🔍 다음 문장에서 재귀대명사에 밑줄을 긋고, 문장을 해석하시오.

1 You have to trust yourself first.

➪

2 The children hid themselves behind the fence.

➪

3 We express ourselves in many ways.

➪

4 She adapted herself to her new job.

➪

5 I found out the answer for myself.

➪

🔒 **해석의 Key**

재귀대명사는 전치사의 목적어로도 쓰일 수 있다.
by oneself: 혼자서
for oneself: 혼자 힘으로
by itself: 저절로
in itself: 그 자체가, 본래

□ **have to** ~해야 한다
□ **trust** 믿다
□ **hide** 숨기다, 숨다(-hid)
□ **fence** 울타리
□ **express** 표현하다
□ **adapt** 적응시키다
□ **answer** 해답, 대답
□ **make it** 해내다, 성공하다

어법 Quiz 다음 문장의 네모 안에서 밑줄 친 재귀대명사의 쓰임으로 알맞은 것을 고르시오.

A I made the cake myself. 재귀 용법 / 강조 용법

B I told myself, "I made it!" 재귀 용법 / 강조 용법

Answer p.7

「전치사+목적어」문장 읽기

많은 사람들이   걱정하고 있다   추운 날씨에 대해

Many people | are worried | about the cold weather.

주어   동사   전치사+목적어(명사)

- 전치사에 결합하여 의미를 완성하는 말 또한 전치사의 목적어라고 한다.
- 전치사는 바로 뒤에 목적어를 취하며, 전치사의 목적어 자리에는 명사, 목적격 대명사, 동명사 등이 올 수 있다.
- 「전치사+목적어」는 전치사구로서, 목적어의 의미에 전치사의 의미를 결합하여 해석한다.

어법 Tip 동사원형이나 to부정사는 전치사의 목적어가 될 수 없다.

🔍 다음 밑줄 친 부분에 유의하여 문장을 해석하시오.

1   His horse fell <u>into a big hole</u>.

⇨

2   I shared a room <u>with him</u>.

⇨

3   The guests put their gifts <u>on the sofa</u>.

⇨

4   Children are crazy <u>about computer games</u>.

⇨

5   Hamsters find food <u>by using their sense of smell</u>.

⇨

어법 Quiz 다음 문장의 네모 안에서 어법상 알맞은 것을 고르시오.

A   I'm thinking of | study / studying | music at college.

B   We talked about | ordering / to order | pizza.

□ horse 말
□ fall into ~ 안으로 빠지다
□ hole 구멍
□ share 같이 쓰다, 공유하다
□ crazy 열광하는
□ find 찾다, 발견하다
□ sense of smell 후각
□ college 대학
□ order 주문하다

         Answer p.8

동명사가 목적어인 문장 읽기

나의 아버지는	즐기신다	낚시하는 것을	호수에서
My father	**enjoys**	**fishing**	**in the lake.**
주어	동사	목적어(동명사)	

• 동명사(동사-ing)가 목적어로 쓰인 경우 '∼하는 것을', '∼하기를'로 해석한다.

어법·Tip 동명사를 목적어로 쓰는 동사로는 enjoy(즐기다), mind(신경 쓰다, 꺼리다), finish(끝내다), practice(연습하다), avoid(피하다), give up(포기하다), keep(계속하다) 등이 있다.

Q 다음 문장에서 목적어에 밑줄을 긋고, 문장을 해석하시오.

1 Never give up following your dreams.

⇨

2 I don't mind turning down the music.

⇨

3 Laura finished writing her report this evening.

⇨

4 She practices speaking English every day.

⇨

5 He stopped smoking with the help of his friends.

⇨

🔒 **해석의 Key**
• 「stop + 동명사」: ∼하는 것을 멈추다
• 「stop + to부정사」: ∼하기 위해 멈추다

어법·Quiz 다음 문장의 네모 안에서 어법상 알맞은 것을 고르시오.

A Avoid [going / to go] outside after dark.

B Keep [practicing / to practice] soccer and become a great soccer player!

☐ **follow** 따르다
☐ **turn down** (소리를) 줄이다
☐ **report** 보고서
☐ **smoke** 담배를 피우다

Answer p.8

to부정사가 목적어인 문장 읽기

나는	바란다	너를 다시 만나기를

I | hope | to see you again.
주어   동사   목적어(to부정사)

- to부정사(to + 동사원형)가 목적어로 쓰인 경우 '~하는 것을', '~하기를'로 해석한다.

어법 Tip to부정사를 목적어로 쓰는 동사로는 want(원하다), hope(희망하다), wish(바라다), plan(계획하다), decide(결정하다), expect(기대하다), promise(약속하다), need(필요하다), agree(동의하다) 등이 있다.

🔍 다음 문장에서 목적어에 밑줄을 긋고, 문장을 해석하시오.

1   I don't want to talk about it anymore.

⇨

Henry planned to read one book a week.

⇨

3   She promised to wash her father's car every Sunday.

⇨

4   They decided to build a factory in this town.

⇨

5   I wish to speak to the manager.

⇨

🔒 **해석의 Key**
보통 to부정사에는 '앞으로 할 일'이라는 미래의 의미가 담겨 있다.

어법 Quiz 다음 문장의 네모 안에서 어법상 알맞은 것을 고르시오.

A   I expect [making / to make] new friends this year.

B   We need [arriving / to arrive] there in an hour.

☐ anymore 더 이상
☐ wash a car 세차하다
☐ build 세우다, 짓다
☐ factory 공장
☐ town 마을
☐ manager 관리자, 매니저
☐ arrive 도착하다

Answer p.8

A 다음 문장의 네모 안에서 어법상 알맞은 것을 고르시오.

01 Can you believe it? We beat they / them ! ⟲ skill 21

02 Don't blame you / yourself . It's not your fault. ⟲ skill 22

03 Robert kept knocking / to knock on the door. ⟲ skill 24

04 Mina is good at singing / to sing pop songs. ⟲ skill 23

05 Many people wish living / to live a long life. ⟲ skill 25

B 다음 문장에서 밑줄 친 부분의 쓰임을 보기 에서 골라 기호를 쓰시오. ⟲ skill 22

보기 ⓐ 재귀 용법 ⓑ 강조 용법

01 You should love yourself.

02 The food itself was great, but the service was terrible.

03 She herself told me the news.

04 Did you all enjoy yourselves at the festival?

05 My grandmother knitted the sweater herself.

A believe 믿다   beat 이기다   blame 비난하다   fault 잘못   knock 두드리다   be good at ~을 잘하다
B service 서비스, 봉사   terrible 형편없는   enjoy oneself 즐거운 시간을 보내다   festival 축제   knit 짜다, 뜨개질하다
sweater 스웨터

해석 완성 C 다음 문장에서 동사의 목적어에 밑줄을 긋고, 우리말 해석을 완성하시오.

01 I covered myself with a towel. ↻ skill 22

나는 _____.

02 You can start the game by pushing the button. ↻ skill 23

당신은 _____ 시작할 수 있습니다.

03 Everyone stopped moving at the sound. ↻ skill 24

그 소리에 _____.

04 Do you want to eat out today? ↻ skill 25

너는 오늘 _____ ?

어순 배열 D 다음 우리말과 일치하도록 괄호 안의 말을 바르게 배열하시오.

01 다른 사람들을 너무 빠르게 판단하지 마시오. (too, others, don't judge, quickly) ↻ skill 21

02 우리는 찬물로 우리 자신을 식혔다. (with cold water, ourselves, we, cooled) ↻ skill 22

03 그는 무대 위에서 노래하는 것을 포기하지 않았다.
(singing, on stage, didn't, he, give up) ↻ skill 24

04 그들은 그 결정을 따르기로 동의했다. (to follow, they, the decision, agreed) ↻ skill 25

C cover 감싸다, 덮다 towel 수건 push 누르다, 밀다 button 단추, 버튼 move 움직이다 eat out 외식하다
D judge 판단하다 quickly 빠르게 cool 식히다 stage 무대 decision 결정

CHAPTER

05

보어
문장의 구성 요소 ③

주격 보어

주어의 뜻을 보충하여 주어와 동격관계이거나 주어의 성질, 상태 등을 설명
명사
형용사
to부정사
동명사

보어
사람이나 사물의 신분, 성질, 상태, 동작 등을 보충 설명하는 말

목적격 보어

목적어의 뜻을 보충하여 목적어와 동격관계이거나 목적어의 성질, 상태 등을 설명
명사
형용사
to부정사

명사가 주격 보어인 문장 읽기

시간은   이다   금
Time │ is │ gold.
주어   동사   보어 (명사) time = gold

- 명사가 주격 보어인 경우 「**주어 = 보어**」 관계가 되며, '**주어는 보어이다**'라고 해석한다.

어법 Tip 주격 보어로 대명사가 오는 경우도 종종 있다. 이때 대명사는 주격과 목적격이 모두 가능하나 일반적으로는 목적격을 쓴다.

🔍 다음 문장에서 주격 보어에 밑줄 긋고, 문장을 해석하시오.

1 Yumi is a good singer.

⇨

2 Bill is the leader of our team.

⇨

3 Andy and I became classmates this year.

⇨

4 Her nickname is Dancing Queen.

⇨

5 Fall is my favorite season.

⇨

🔒 **해석의 Key**

주격 보어의 수는 주어에 일치시킨다. 즉, 주어가 복수이면 주격 보어로 쓰인 명사도 복수가 되어야 한다.

어법 Quiz 다음 문장의 네모 안에서 어법상 알맞은 것을 고르시오.

A M: Who is it? W: It's │ my / me │ .

B The winner was │ him / his │ .

□ **leader** 대표, 주장
□ **classmate** 급우, 반 친구
□ **nickname** 별명
□ **fall** 가을
□ **season** 계절

Answer p.9

형용사가 주격 보어인 문장 읽기

날씨가   ~하다   좋은

The weather | is | fine.

주어   동사   보어 (형용사)

- 형용사가 주격 보어인 경우 보어가 **주어의 성질이나 상태를 보충설명**하며 '**주어는 보어이다[하다]**'라고 해석한다.
- 형용사 주격 보어를 취하는 동사로는 상태 및 변화를 나타내는 동사(be, become, get, turn, grow, go)와 감각을 나타내는 동사(look, sound, taste, smell, feel)가 있다.

어법Tip 감각동사의 경우 '~하게 보이다[들리다/맛이 나다/냄새가 나다/느껴지다]'의 뜻으로 해석상 뒤에 부사가 오는 것으로 생각될 수 있으나, 형용사가 오는 것에 유의한다.

🔍 다음 문장에서 주격 보어에 밑줄 긋고, 문장을 해석하시오.

1 The leaves on the trees became red and yellow.

↪

2 My older sister gets angry easily.

↪

3 I hope that your baby will grow strong and healthy.

↪

4 The milk in the refrigerator went bad.

↪

5 It may sound unreal, but it's true.

↪

🔒 **해석의 Key**

go나 come 뒤에 형용사 보어가 오면 '가다[오다]'는 뜻이 아니라 '~되다'는 뜻이다.

어법 Quiz 다음 문장의 네모 안에서 어법상 알맞은 것을 고르시오.

A The new T-shirt looks nice / nicely on you.

B We felt so great / greatly in the fresh air.

- □ leaf 나뭇잎
  (복수형은 leaves)
- □ easily 쉽게
- □ healthy 건강한
- □ refrigerator 냉장고
- □ bad (음식이) 상한
- □ may ~일지도 모른다
- □ unreal 비현실적인

Answer p.9

나의 취미는   이다   영화를 보는 것

My hobby | is | to watch movies.

주어   동사   보어 (to부정사구) my hobby = to watch movies

- to부정사가 주격 보어인 경우 **명사적 용법의 to부정사**로 '**~하는 것**'이라는 뜻이다.
- 「**주어 = 보어**」 관계가 되며, '**주어는 보어이다**'라고 해석한다.

어법 Tip 보어 자리에 쓰인 to부정사가 「주어 = 보어」로 해석되지 않는 경우 to부정사는 명사적 용법이 아닌 형용사적 용법으로 쓰인 것으로 '예정, 의무, 의도, 가능, 운명'의 뜻을 가진다.

🔍 다음 문장에서 주격 보어에 밑줄을 긋고, 문장을 해석하시오.

1 Her dream is to be a tour guide.

> ⟿

2 My wish is to see you again.

> ⟿

3 My father's job is to repair cars.

> ⟿

4 Their plan is to travel around the country by bike.

> ⟿

5 His goal was not to give up the race.

> ⟿

🔒 **해석의 Key**
to부정사(구)의 부정 의미를 나타낼 경우 바로 앞에 not을 붙인다.

어법 Quiz 다음 문장의 네모 안에서 어법상 알맞은 것을 고르시오.

A You are ｜ wash / to wash ｜ your hands before you eat a meal.

B We are ｜ meet / to meet ｜ at 2 o'clock.

☐ **tour guide** 여행 가이드
☐ **repair** 수리하다
☐ **give up** 포기하다
☐ **race** 경주

Answer p.9

그녀의 직업은　이다　꽃을 파는 것
Her job | is | selling flowers.
주어　동사　보어 (동명사구) Her job = selling flowers

- 동명사는 '~하는 것'이라는 뜻으로, 주격 보어로 쓰인 경우 「주어 = 보어」 관계가 되며, '주어는 보어이다'라고 해석한다.

어법·Tip be동사 뒤에 「동사+-ing」 형태가 진행형을 나타내는 현재분사로 쓰인 경우도 있으므로 해석에 유의한다. 이때에는 '주어가 ~하고 있는 중이다'로 해석한다.

🔍 다음 문장에서 주격 보어에 밑줄을 긋고, 문장을 해석하시오.

1 His pastime is fishing in a lake.

⇨

2 Our plan is giving a surprise party to our parents.

⇨

3 One of your duties is going to school.

⇨

4 The key to getting good grades is reviewing every day.

⇨

5 Their problem is not spending time together.

⇨

🔒 **해석의 Key**
동명사(구)의 부정 의미를 나타낼 경우 바로 앞에 not 을 붙인다.

어법·Quiz 다음 문장에서 밑줄 친 부분의 알맞은 쓰임을 고르시오.

A My hobby is <u>riding</u> a bike. | 동명사 / 현재분사 |

B A boy is <u>riding</u> a bike. | 동명사 / 현재분사 |

☐ **pastime** 취미, 여가활동
☐ **surprise party** 깜짝 파티
☐ **parent** (주로 복수로) 부모
☐ **duty** 의무
☐ **key** 비결
☐ **grade** 성적
☐ **review** 복습하다

Answer p.9

명사가 목적격 보어인 문장 읽기

사람들은	부른다	그를	천재라고
People	**call**	**him**	**a genius.**
주어	동사	목적어	목적격 보어 (명사) him = a genius

- 명사가 목적격 보어인 경우 「목적어 = 목적격 보어」 관계가 되며, '주어가 목적어를 목적격 보어로[라고] 동사하다'라고 해석한다.

어법 Tip 목적격 보어 자리에 쓰인 명사와 목적어가 동격이 아닌 경우, 「주어 + 동사 + 간접목적어 + 직접목적어」 형태의 4형식 문장일 가능성이 있으므로 해석에 유의한다.

🔍 다음 문장에서 목적격 보어에 밑줄을 긋고, 문장을 해석하시오.

1 The couple named their son Yuchan.

2 She made her daughter a great pianist.

3 My friends consider me a funny person.

4 We elected him our class leader.

5 The development of communication made the world a global village.

🔒 **해석의 Key**

name이 「목적어 + 목적격 보어」와 함께 쓰인 경우 '이름을 지어주다'는 뜻이다.

어법 Quiz 다음 문장에서 밑줄 친 부분의 알맞은 쓰임을 고르시오.

A Patience makes you a better person. | 목적격 보어 / 직접목적어 |

B Mom often makes me delicious cookies. | 목적격 보어 / 직접목적어 |

□ couple 부부, 두 사람
□ dull 둔한
□ consider (~로) 여기다, 생각하다
□ elect 선출하다
□ development 발전
□ communication 통신
□ global 국제적인
□ village 마을

Answer p.9

형용사가 목적격 보어인 문장 읽기

너는	만든다	나를	행복하게
You	**make**	**me**	**happy.**
주어	동사	목적어	목적격 보어 (형용사)

- 형용사가 목적격 보어인 경우 보어는 목적어의 **성질 또는 상태**를 보충 설명한다.
- '주어가 목적어를 목적격 보어라고[하게] 동사하다'라고 해석한다.

어법**Tip** 목적어와 목적격 보어의 관계가 동격이 아니라, 보충 설명하는 관계가 되면 명사가 아닌 형용사가 오는 것에 유의한다.

🔍 다음 문장에서 목적격 보어에 밑줄을 긋고, 문장을 해석하시오.

1 I kept the door open.

⇨

2 John made his math teacher angry.

⇨

3 Did you find the movie interesting?

⇨

4 Why don't we paint the wall green?

⇨

5 People consider cherry blossom beautiful.

⇨

🔒 **해석의 Key**

5형식 문장에서 쓰인 find 는 '발견하다'는 뜻이 아니라 '~라고 여기다[생각하다]'는 뜻을 가진다.

어법**Quiz** 다음 문장의 네모 안에서 어법상 알맞은 것을 고르시오.

A Enough sleep keeps our skin health / healthy .

B Many students find math difficult / difficulty .

□ keep 계속 있다[있게 하다]
□ paint 칠하다
□ wall 벽
□ cherry blossom 벚꽃
□ priority 우선 사항

to부정사가 목적격 보어인 문장 읽기

나는	원한다	네가	나를 도와주기를
I	**want**	**you**	**to help me.**
주어	동사	목적어	목적격 보어 (to부정사)

- to부정사가 목적격 보어인 경우 보어는 목적어의 행동이나 상태를 보충 설명한다.
- '주어는[가] 목적어가[에게] 목적격 보어하기를[하라고] 동사하다'라고 해석한다.

어법 Tip '시키다'는 뜻을 가진 사역동사(make, let, have 등)나 느끼고 인식하는 뜻을 가진 지각동사(hear, see, watch, smell, feel 등)가 오면 목적격 보어로 동사원형을 쓴다.

🔍 다음 밑줄 친 부분에 유의하여 문장을 해석하시오.

1 He told me to keep calm.

2 The old lady asked me to carry her suitcase.

3 My father taught me to be honest.

4 The fine weather allowed us to enjoy the trip.

5 His parents expected him to become a famous swimmer.

🔒 **해석의 Key**

want, tell, advise, teach, order, ask, allow, expect 등의 동사는 목적격 보어로 to부정사를 취한다.

어법 Quiz 다음 문장의 네모 안에서 어법상 알맞은 것을 고르시오.

A My mom made me clean / to clean my room.

B Did you feel the building shake / to shake ?

☐ **suitcase** 여행 가방
☐ **honest** 정직한
☐ **allow** 허락하다
☐ **trip** 여행
☐ **expect** 기대하다

Answer p.10

CHAPTER 05 Exercise

네모 어법 A 다음 문장의 네모 안에서 어법상 알맞은 것을 고르시오.

01 Love and hatred are very strong feel / feelings . ↪ skill 26

02 The bread smells so delicious / deliciously . ↪ skill 27

03 My goal is speak / to speak English fluently. ↪ skill 28

04 Everyone calls her an angel / an angelic . ↪ skill 30

05 My parents didn't allow me sleeping / to sleep over. ↪ skill 32

보기 선택 B 다음 문장에서 밑줄 친 부분의 쓰임을 보기 에서 골라 기호를 쓰시오. ↪ skill 26, 28, 30, 31, 32

> 보기   ⓐ 주격 보어   ⓑ 목적격 보어

01 Today is my birthday.

02 She found the jewelry box empty.

03 His dream is to become a computer programmer.

04 I saw the tears fall down her cheeks.

05 Her effort made her son a great scholar.

A hatred 증오 feeling 감정 fluently 유창하게 angel 천사 sleep over (남의 집에서) 자고 오다
B jewelry 보석 empty 텅 빈 computer programmer 컴퓨터 프로그래머 tear 눈물 cheek 뺨 effort 노력, 수고
scholar 학자

063

해석
완성 **C** 다음 문장에서 보어에 밑줄을 긋고, 우리말 해석을 완성하시오.

01 She is a world-famous figure skater. ↻ skill 26

> 그녀는 세계적으로 유명한 _____.

02 The pizza smelled good, but tasted too salty. ↻ skill 27

> 그 피자는 _____.

03 One way to lose weight is drinking lots of water. ↻ skill 29

> 체중을 감량하는 한 가지 방법은 _____.

04 People considered Mother Teresa a living saint. ↻ skill 30

> 사람들은 테레사 수녀를 _____ 여겼다.

어순
배열 **D** 다음 우리말과 일치하도록 괄호 안의 말을 바르게 배열하시오.

01 힙합은 내가 가장 좋아하는 음악 장르가 되었다.
(music genre, hip-hop, my favorite, became) ↻ skill 26

>

02 해결책은 새로운 팀을 만드는 것이었다. (was, to create, the solution, a new team) ↻ skill 28

>

03 안전벨트는 승객들은 안전하게 해준다. (keep, seat belts, passengers, safe) ↻ skill 31

>

04 나는 수영을 스스로 배웠다. (I, to, swim, myself, taught) ↻ skill 32

>

C world-famous 세계적으로 유명한   salty 짠   lose weight 체중을 감량하다   saint 성인, 성자
D genre 장르   solution 해결책   create 창조하다   seat belt 안전벨트   passenger 승객   safe 안전한

시제
문장에서의 시간 표현

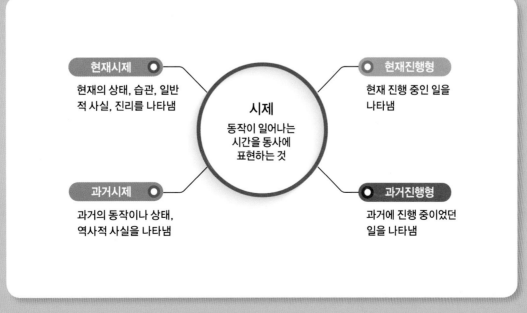

현재시제
현재의 상태, 습관, 일반적 사실, 진리를 나타냄

현재진행형
현재 진행 중인 일을 나타냄

시제
동작이 일어나는 시간을 동사에 표현하는 것

과거시제
과거의 동작이나 상태, 역사적 사실을 나타냄

과거진행형
과거에 진행 중이었던 일을 나타냄

나는 　 기분이 매우 좋다 　 　 오늘
I | feel great | today.
주어 　 동사(현재시제)

- 현재시제는 현재의 상태, 지속적인 성질, 습관이나 반복되는 일, 일반적인 사실, 불변의 진리 등을 나타낸다. 주어에 따라 be동사는 am/are/is로, 일반동사는 동사원형이나 「동사원형＋(e)s」로 쓰며, '～이다[하다]'로 해석한다.

어법 Tip 주어가 3인칭 단수일 때 일반동사에 -(e)s를 붙인다. 대부분의 동사에는 -s를 붙이지만, '-o, -s, -x, -ch, -sh'로 끝나는 동사에는 -es를 붙이고, 「자음＋-y」로 끝나는 동사의 경우 y를 i로 바꾸고 -es를 붙인다. have는 has로 불규칙하게 변화한다.

🔍 다음 밑줄 친 부분에 유의하여 문장을 해석하시오.

1 He <u>is</u> good at all sports.

⇨

2 The bank <u>opens</u> at 9 in the morning.

⇨

3 Tom <u>often</u> <u>shakes</u> his legs.

⇨

4 Good habits <u>are</u> important for everyone.

⇨

5 The sun <u>sets</u> in the west.

⇨

🔒 **해석의 Key**

현재시제는 always(항상, 언제나), usually(보통, 대개), often(자주), sometimes(때때로, 가끔), rarely(좀처럼 ~하지 않는), never(절대[결코] ~하지 않다) 등의 빈도부사와 함께 자주 쓰인다.

어법 Quiz 다음 문장의 네모 안에서 어법상 알맞은 것을 고르시오.

A My father | watchs / watches | the news at 8 p.m.

B A spider | has / haves | eight legs.

□ be good at ~을 잘하다
□ shake 떨다, 흔들다
□ habit 습관
□ important 중요한
□ set (해 · 달이) 지다
□ west 서쪽
□ news 뉴스, 소식
□ spider 거미

<table>
<tr><td>나는</td><td>태어났다</td><td>2006년에</td></tr>
</table>

I | was born | in 2006.

주어   동사(과거시제)

- 과거시제는 과거의 동작이나 상태, 역사적 사실 등을 나타낸다. 주어에 따라 be동사는 **was/were**로, 일반동사는 「**동사 원형+(e)d**」로 쓰며, '~(이)었다[했다]'로 해석한다.

어법Tip 일반동사의 과거형은 규칙 변화와 불규칙 변화로 나뉜다. 규칙 변화의 경우 대부분의 동사에 -(e)d를 붙이지만, 「단모음+단자음」으로 끝나는 경우 끝자음을 한 번 더 쓰고 -ed를 붙이고, 「자음+-y」로 끝나는 경우 y를 i로 바꾸고 -ed를 붙인다. 불규칙 변화의 경우 따로 암기하도록 한다.

🔍 다음 밑줄 친 부분에 유의하여 문장을 해석하시오.

1 There <u>was</u> no money in my pocket.

⇨

2 My family <u>moved</u> into a new house.

⇨

3 King Sejong <u>invented</u> Hangeul.

⇨

4 You <u>weren't</u> at home <u>last night</u>.

⇨

5 Columbus <u>found</u> America in 1492.

⇨

🔒 **해석의 Key**

과거시제는 과거의 특정 시점을 나타내는 yesterday, last ~, ~ ago, at that time 등의 부사(구)와 함께 자주 쓰인다.

어법Quiz 다음 문장의 네모 안에서 어법상 알맞은 것을 고르시오.

A The bus | stoped / stopped | at the bus stop.

B My mom | came / comed | home late yesterday.

□ pocket 호주머니
□ move 이사하다, 움직이다
□ invent 발명하다
□ last 지난, 마지막의
□ find 발견하다, 찾다
  (-found-found)
□ bus stop 버스 정류장
□ late 늦게

Answer p.11

나는   숙제를 하고 있다   지금

I | am doing my homework | now.

주어   동사(현재진행형)

• 「am / are / is + 동사-ing」 형태의 현재진행형은 현재 진행 중인 일을 나타내고, '~하는 중이다', '~하고 있다'로 해석한다.

어법 Tip 동사에 -ing를 붙일 때 동사가 e로 끝나는 경우 e를 빼고 -ing를 붙이고, ie로 끝나는 경우 ie를 y로 바꾸고 -ing를 붙인다. 또 「단모음 + 단자음」으로 끝나는 경우 끝자음을 한 번 더 쓰고 -ing를 붙인다.

🔍 다음 밑줄 친 부분에 유의하여 문장을 해석하시오.

1   Julie <u>is brushing</u> her teeth now.

↪

2   The boys <u>are playing</u> basketball in the gym.

↪

3   <u>Are</u> you <u>waiting</u> for someone here?

↪

4   My little sister <u>is not wearing</u> a cap.

↪

5   I <u>am having</u> breakfast with my wife.

↪

🔓 **해석의 Key**
진행형으로 쓰인 have는 '가지다'의 의미가 아니라, '먹다[마시다]', '(행사를) 열다' 등의 의미이다.

어법 Quiz 다음 문장의 네모 안에서 어법상 알맞은 것을 고르시오.

A   Some people are | lying / lieing | on the grass.

B   The children are | runing / running | on the playground.

☐ brush 닦다
☐ tooth 이, 치아 (pl. teeth)
☐ basketball 농구
☐ gym 체육관
☐ cap (앞부분에 챙이 달린) 모자
☐ lie 눕다
☐ grass 잔디, 풀
☐ playground 운동장

나는   가는 중이었다   학교에

I | **was going** | to school.

주어   동사(과거진행형)

- 「was/were+동사-ing」 형태의 과거진행형은 과거에 진행 중이었던 일을 나타내고, '~하는 중이었다', '~하고 있었다'로 해석한다.

어법 Tip 동작이 아니라 소유, 감정, 상태(have, like, want, know 등)를 나타내는 동사는 진행형으로 쓸 수 없다.

🔍 다음 밑줄 친 부분에 유의하여 문장을 해석하시오.

1 It <u>was snowing</u> outside.

⤷

2 I <u>was packing</u> my bag last night.

⤷

3 <u>Was</u> she <u>talking</u> on the phone?

⤷

4 They <u>were drawing</u> some pictures on the walls.

⤷

5 My father <u>wasn't driving</u> at that time.

⤷

어법 Quiz 다음 문장의 네모 안에서 어법상 알맞은 것을 고르시오.

A She | liked / was liking | Korean pop music.

B John | knew / was knowing | the truth.

□ **outside** 밖에
□ **pack** (짐을) 챙기다, 싸다
□ **talk on the phone** 전화 통화를 하다
□ **draw** 그리다
□ **wall** 벽
□ **at that time** 그때, 그 당시에
□ **pop music** 대중음악
□ **truth** 진실

Answer p.11

네모 어법 A 다음 문장의 네모 안에서 어법상 알맞은 것을 고르시오.

01 Inho usually | gos / goes | to school at 8 a.m. ↻ skill 33

02 A barking dog never | bite / bites | . ↻ skill 33

03 World War II | ended / ends | in 1945. ↻ skill 34

04 I am | writing / writeing | a report now. ↻ skill 35

05 We | are / were | having a meeting then. ↻ skill 36

보기 선택 B [01-05] 다음 문장에서 밑줄 친 동사에 시간을 표현하려고 할때, 알맞은 시제를 보기 에서 골라 기호를 쓰시오. ↻ skill 33, 34

> 보기   ⓐ 현재시제   ⓑ 과거시제

01 I be hungry and sleepy now.

02 Graham Bell invent the telephone.

03 The earth go around the sun.

04 Mina walk her dog every evening.

05 There be an earthquake last week.

A bark 짖다 bite 물다 World War II 제2차 세계대전 end 끝나다 report 보고서 meeting 회의
B hungry 배가 고픈 sleepy 졸린 telephone 전화기 earth 지구 sun 태양 walk 산책시키다 earthquake 지진

[06-10] 다음 문장에서 밑줄 친 동사에 시간을 표현하려고 할때, 알맞은 시제를 보기 에서 골라 기호를 쓰시오. ↻ skill 35, 36

보기   ⓐ 현재진행형   ⓑ 과거진행형

06 My father <u>read</u> a newspaper now.

07 When Sam arrived, we <u>have</u> dinner.

08 We <u>travel</u> around Europe by train then.

09 This time last year I <u>live</u> in Japan.

10 What <u>happen</u> right now?

C 다음 문장에서 동사에 밑줄을 긋고, 우리말 해석을 완성하시오.

01 My family sometimes goes on a trip.   ↻ skill 33

나의 가족은 _____.

02 I bought a pair of shoes yesterday.   ↻ skill 34

나는 _____.

03 The airplane is taking off.   ↻ skill 35

비행기가 _____.

04 We were having fun at the beach.   ↻ skill 36

우리는 _____.

05 Ben was studying when I visited him.   ↻ skill 36

내가 Ben을 방문했을 때 그는 _____.

B newspaper 신문   arrive 도착하다   travel 여행하다   happen 일어나다
C go on a trip 여행을 가다   buy 사다(-bought-bought)   a pair of 한 켤레[쌍]의   airplane 비행기
take off 이륙하다   have fun 즐거운 시간을 보내다   beach 해변   visit 방문하다

D 다음 우리말과 일치하도록 괄호 안의 말을 바르게 배열하시오. (단, 주어는 맨 앞에 둘 것)

01 식물은 열대우림에서 빠르게 자란다.
(quickly, plants, in a rain forest, grow) ↻ skill 33

02 한국은 1988년에 올림픽을 개최했다.
(held, in 1988, Korea, the Olympics) ↻ skill 34

03 나는 지금 병원에 가고 있다.
(am, I, to the hospital, now, going) ↻ skill 35

04 그는 찬물로 샤워를 하고 있다.
(is, with cold water, he, taking a shower) ↻ skill 35

05 그 당시에 그녀는 힘든 시간을 보내고 있었다.
(a hard time, she, at that time, having, was) ↻ skill 36

D quickly 빠르게 plant 식물 rain forest 열대우림 grow 자라다 hold 개최하다, 열다 hospital 병원
take a shower 샤워를 하다 have a hard time 힘든 시간을 보내다

CHAPTER

07

조동사
동사의 의미 보충어

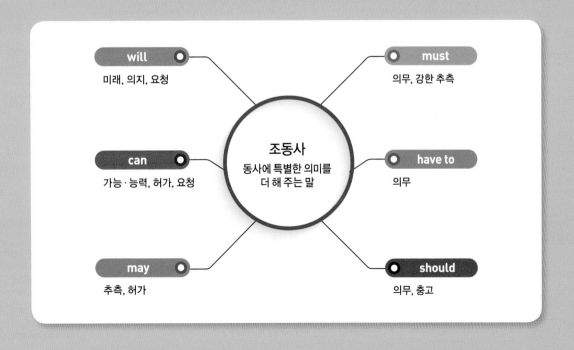

will
미래, 의지, 요청

must
의무, 강한 추측

조동사
동사에 특별한 의미를
더 해 주는 말

can
가능·능력, 허가, 요청

have to
의무

may
추측, 허가

should
의무, 충고

나는 될 것이다　　　　　　　　　　15살이　　　　　　　　　　내년에

I will become | fifteen years old | next year.

주어　조동사　　　동사원형

- 조동사 will은 미래, 의지, 요청을 나타내고 각각 '~할 것이다', '~하려고 한다', '~해주시겠습니까?'라고 해석한다.

어법 Tip would는 will의 과거형이지만 Would you~?는 '~해주시겠습니까?'라는 뜻으로 좀 더 공손하게 상대방에게 무언가를 요청하는 표현이다.

🔍 다음 밑줄 친 부분에 유의하여 문장을 해석하시오.

1 They will have a farewell party for Susan.

2 She won't change her mind.

🔒 **해석의 Key**

will not은 축약해서 won't 로 쓴다.

3 Will you please help me move the table?

4 I will never forget this moment.

5 We will be busy next week.

어법 Quiz 다음 밑줄 친 would의 쓰임으로 알맞은 것을 고르시오.

A He said he would be here at 6.　will의 과거형 / 공손한 요청

B Would you turn off the TV?　will의 과거형 / 공손한 요청

□ farewell party 송별회
□ change 바꾸다
□ mind 마음
□ forget 잊다
□ moment 순간
□ busy 바쁜
□ turn off 끄다

Answer p.12

우리는 이길 수 있다   이 경기를

We can win | this game.
주어   조동사   동사원형

- 조동사 can은 **가능**이나 **능력, 허가, 요청**을 나타내고 각각 '~**할 수 있다**', '~**해도 좋다**', '~**해줄래요?**'라고 해석한다.

어법 Tip Can you~?는 '~해줄래요?'라는 뜻으로 상대방에게 요청을 하는 표현인 반면에 Can I~?는 '내가 ~해도 될까요?'라는 뜻으로 상대방의 허가를 구하는 표현이다.

🔍 다음 밑줄 친 부분에 유의하여 문장을 해석하시오.

1 I <u>can</u> stand on my hands.

↪

2 <u>Can</u> you move your car?

↪

3 This elevator <u>can</u> carry twelve people.

↪

4 You <u>can</u> use the computer now.

↪

5 Jina <u>can</u> speak two foreign languages. She <u>is able to</u> speak English and French.

↪

🔑 **해석의 Key**
can이 능력을 나타낼 때는 be able to로 바꿔 쓸 수 있다.

어법 Quiz 다음 밑줄 친 부분의 쓰임으로 알맞은 것을 고르시오.

A <u>Can</u> you return the books for me? I'm too busy now. | 요청 / 허가 |

B <u>Can</u> I go home now? I don't feel well. | 요청 / 허가 |

□ **stand on one's hands** 물구나무를 서다
□ **move** 옮기다
□ **elevator** 엘리베이터
□ **carry** (무게를) 견디다
□ **foreign language** 외국어
□ **French** 프랑스어

may가 쓰인 문장 읽기

당신은 앉아도 좋다　　여기에
You may sit │ here.
주어　　조동사　동사원형

- 조동사 may는 추측이나 허가를 나타내고 '~할[일]지도 모른다', '~해도 좋다', '~해도 되겠습니까?'라고 해석한다.

어법Tip may가 허가를 구하는 의문문으로 쓰일 때는 May I~?와 같이 1인칭 주어와 함께 쓰인다. 대답을 할 때에는 Yes, you may. 또는 No, you may not.이라고 한다.

🔍 다음 밑줄 친 부분에 유의하여 문장을 해석하시오.

1　It <u>may</u> rain tomorrow.

⇨

2　You <u>may</u> keep the book. I've already read it.

⇨

3　The chance <u>may</u> not come again.

⇨

4　The rest of you <u>may</u> leave now.

⇨

5　The rumor <u>might</u> be true.

⇨

🔒 **해석의 Key**

might는 may의 과거형이지만, 과거 사실과는 무관하게 may보다 더 불확실한 추측이나 더 공손하게 허가를 구할 때 쓴다.

어법Quiz 다음 문장의 네모 안에서 어법상 알맞은 것을 고르시오.

A　M: May ⓐ │ I / you │ open the window? It's a little hot in here.

　　W: Yes, ⓑ │ I / you │ may.

☐ **keep** 보유하다, 가지다, 지키다
☐ **already** 이미, 벌써
☐ **rest** 나머지
☐ **rumor** 소문
☐ **true** 사실의
☐ **a little** 약간

Answer p.12

skill 40 · must가 쓰인 문장 읽기

우리는 따라야 한다   규칙을
We must follow | the rules.
주어   조동사   동사원형

- 조동사 must는 **의무나 강한 추측**을 나타내고 각각 '~해야 한다', '~함[임]에 틀림없다'라고 해석한다.

어법 Tip must not은 '~해서는 안 된다'는 금지의 의미와 '~일 리가 없다'는 강한 부정적 추측의 의미가 있다.

🔍 다음 밑줄 친 부분에 유의하여 문장을 해석하시오.

1 He <u>must</u> finish his math homework today.

⇨

2 Sora is absent today. She <u>must</u> be very sick.

⇨

3 I have a test tomorrow. I <u>must</u> study hard.

⇨

4 Tim played soccer all afternoon. He <u>must</u> be tired.

⇨

5 I <u>had to</u> stay up all night yesterday, and I <u>must</u> work until late today.

⇨

🔒 **해석의 Key**
의무의 뜻을 나타낼 때는 have to와 바꿔 쓸 수 있다. 따라서 과거의 의무는 had to로 나타낸다.

어법 Quiz 다음 밑줄 친 must not의 의미로 알맞은 것을 고르시오.

A She <u>must not</u> be in her forties. 금지 / 강한 부정적 추측

B You <u>must not</u> tell a lie. 금지 / 강한 부정적 추측

□ absent 결석한
□ sick 아픈
□ tired 피곤한
□ stay up all night 밤을 새다
□ until ~까지
□ in one's forties (나이가) 40대인
□ tell a lie 거짓말을 하다

Answer p.13

have to가 쓰인 문장 읽기

우리는 떠나야 한다   지금

We have to leave | now.

주어   조동사   동사원형

• have to는 must와 같이 **의무**를 나타내며, '**~해야 한다**'라고 해석한다.

어법 Tip 부정형인 don't[doesn't] have to는 강한 금지가 아닌 불필요를 나타내며, '~할 필요가 없다'라고 해석한다.

🔍 다음 밑줄 친 부분에 유의하여 문장을 해석하시오.

1 You <u>have to</u> save water.

⇨

2 A teacher <u>has to</u> be patient.

⇨

🔑 **해석의 Key**

주어가 3인칭 단수일 때는 have to가 아닌 has to를 쓴다.

3 They <u>have to</u> move their office.

⇨

4 I <u>have to</u> get up early tomorrow.

⇨

5 Dave <u>has to</u> apologize to his girlfriend.

⇨

어법 Quiz 다음 밑줄 친 부분의 의미로 알맞은 것을 고르시오.

A We <u>must not</u> hurry. 금지 / 불필요

B We <u>don't have to</u> hurry. 금지 / 불필요

□ **save** 절약하다, 아끼다
□ **patient** 참을성[인내심]
   이 있는
□ **office** 사무실
□ **apologize** 사과하다
□ **hurry** 서두르다

Answer p.13

너는 친절해야 한다   다른 사람들에게

You should be kind | to others.

주어   조동사   동사원형

• should는 **의무나 충고**를 나타내며 '~해야 한다', '~하는 것이 좋다'라고 해석한다.

어법 Tip should not은 '~해서는 안 된다'는 뜻으로 금지를 나타낸다.

다음 밑줄 친 부분에 유의하여 문장을 해석하시오.

1 You <u>should</u> go to bed now. It's already midnight.

↳

2 We <u>should</u> keep our promise.

↳

3 I am getting fat. I <u>should</u> eat less.

↳

4 Yuna <u>should</u> look after her little brother tonight.

↳

5 People <u>should</u> save for a rainy day.

↳

해석의 Key

should는 must나 have to에 비해 강제성이 적고, 도덕적인 의무나 충고를 나타낸다.

어법 Quiz 다음 문장의 네모 안에서 내용상 알맞은 것을 고르시오.

A You | should / should not | behave yourself.

B You | should / should not | say such a bad word.

☐ **midnight** 자정, 밤 12시
☐ **promise** 약속
☐ **fat** 살이 찐
☐ **look after** ~를 돌보다
☐ **save for a rainy day** 어려울 때를 대비해 저축하다
☐ **behave oneself** 올바르게 처신하다

네모 어법 A 다음 문장의 네모 안에서 어법상 알맞은 것을 고르시오.

01 I will am / be a vet in the future. ↻ skill 37

02 Can / Cans Jiho play the violin? ↻ skill 38

03 I may not / not may go to the party tomorrow. ↻ skill 39

04 The girl have / has to cook her own meal. ↻ skill 41

05 You shouldn't / not should be here now. ↻ skill 42

보기 선택 B [01-05] 다음 문장에서 밑줄 친 부분의 쓰임을 보기 에서 골라 기호를 쓰시오. ↻ skill 38

보기	ⓐ 가능이나 능력 ⓑ 허가나 요청

01 Can I hand in my report tomorrow?

02 Penguins can't fly.

03 Can you lend me your notebook?

04 Can you speak Japanese?

05 I cannot hear you. Please speak loudly.

A vet 수의사 future 미래 cook 요리하다 own 자신의 meal 식사
B hand in 제출하다 report 보고서 penguin 펭귄 lend 빌려주다 loudly 크게

[06-10] 다음 문장에서 밑줄 친 부분의 쓰임을 보기 에서 골라 기호를 쓰시오. ⟲ skill 39, 40

보기   ⓐ 허가   ⓑ 추측

06 <u>May</u> I come in?

07 He <u>must</u> not be rich. He doesn't spend money at all.

08 You <u>may</u> not believe it, but it's true.

09 You <u>may</u> use my cell phone for a while.

10 The crosswalk light is red. We <u>must</u> not cross the road.

해석 완성 **C**   다음 문장에서 조동사에 밑줄을 긋고, 우리말 해석을 완성하시오.

01 I won't go there with you.   ⟲ skill 37

↳ 나는 너와 _____.

02 Can I sit next to you?   ⟲ skill 38

↳ 제가 _____?

03 My grandfather may be 82 years old.   ⟲ skill 39

↳ 나의 할아버지는 _____.

04 The villagers had to rebuild the bridge.   ⟲ skill 40

↳ 그 마을 사람들은 _____.

05 We should wash our hands often.   ⟲ skill 42

↳ 우리는 _____.

B   spend (돈을) 쓰다   for a while 잠시 동안   crosswalk light 신호등   cross the road 길을 건너다
C   sit 앉다   villager 마을 사람   rebuild 재건축하다   bridge 다리   wash 씻다

어순 배열 D 다음 우리말과 일치하도록 괄호 안의 말을 바르게 배열하시오.

01 너는 오늘 밤에 집에 있을 거니?

(be, tonight, at home, you, will)　　　　　　　　skill 37

02 나는 자전거를 타지 못한다.

(I, a bike, ride, cannot)　　　　　　　　skill 38

03 제가 당신과 잠시 이야기를 나눌 수 있을까요?

(you, for a minute, speak, I, may, to)　　　　　　　　skill 39

04 이 카메라는 고장 났음에 틀림없다.

(be, broken, must, this camera)　　　　　　　　skill 40

05 너는 이것을 외울 필요가 없다.

(it, you, have to, memorize, don't)　　　　　　　　skill 41

D ride a bike 자전거를 타다　for a minute 잠깐　broken 고장이 난　memorize 외우다, 암기하다

CHAPTER

08

수식어구
명사와 동사의 확장

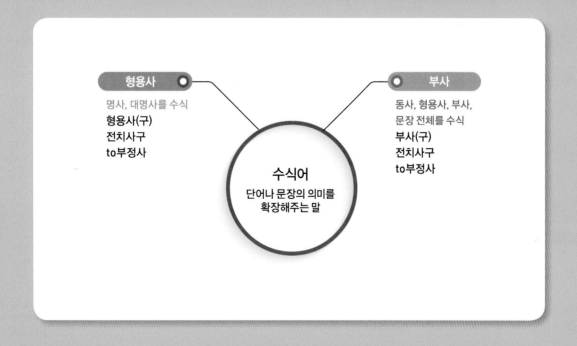

형용사
명사, 대명사를 수식
형용사(구)
전치사구
to부정사

부사
동사, 형용사, 부사,
문장 전체를 수식
부사(구)
전치사구
to부정사

수식어
단어나 문장의 의미를
확장해주는 말

형용사(구)가 명사를 수식하는 문장 읽기

그녀는 가지고 있다　　　　갈색의 눈을
She has │ brown eyes.
형용사　　　명사

- 형용사(구)는 명사 앞이나 뒤에서 명사를 수식하여, '의, ~인, ~한'이라고 해석한다.

어법 Tip 명사의 수량을 나타내는 부정 수량형용사도 있다. some(약간의, 몇몇의), any(어느, 어떤), a lot of[lots of](많은) 와 같이 셀 수 있는 명사와 셀 수 없는 명사에 모두 쓰이는 것도 있으나, 그렇지 않은 것도 있음에 유의한다.

	많은	약간의	거의 없는
셀 수 있는 명사 앞	many	a few	few
셀 수 없는 명사 앞	much	a little	little

🔍 다음 밑줄 친 부분에 유의하여 문장을 해석하시오.

Rugby is a <u>tough</u> sport.

> ⇨

2　All <u>living</u> things are precious.

> ⇨

3　Is there <u>something</u> <u>wrong</u> with you?

> ⇨

4　A <u>mysterious young</u> woman is living next door.

> ⇨

5　We ate <u>big and soft</u> pretzels in New York.

> ⇨

🔒 **해석의 Key**

-thing, -body, -one 등 으로 끝나는 대명사는 형 용사가 뒤에서 수식한다.

어법 Quiz 다음 문장의 네모 안에서 어법상 알맞은 것을 고르시오.

A　Do you get │ many / much │ rain in summer?

B　I have │ a few / a little │ questions about it.

☐ **rugby** 럭비
☐ **tough** 거친
☐ **precious** 귀중한
☐ **mysterious** 신비로운
☐ **soft** 부드러운
☐ **pretzel** 프레첼

　　　　Answer p.14

skill 44 전치사구가 명사를 수식하는 문장 읽기

우리는 보았다	보름달을	하늘에 떠 있는
We saw	**a full moon**	**in the sky.**
	형용사 명사	전치사구(형용사 역할)

- 전치사구는 **명사** 뒤에서 **명사를 수식**하며, 전치사구를 이끄는 전치사의 의미에 맞게 해석한다.
  e.g. with(~을 가진, ~를 입은), in(~안에), behind(~뒤에), from(~로부터), on(~위에), of(~의)

어법 Tip 똑같은 형태의 전치사구라 할지라도 명사를 수식하면 형용사 역할을 한다고 볼 수 있고, 동사, 부사, 형용사, 문장 전체를 수식하면 부사 역할을 한다고 볼 수 있다.

🔍 다음 밑줄 친 부분에 유의하여 문장을 해석하시오.

1 The girl with a yellow T-shirt is my little sister.

⇨

2 Who ate the sandwich in the refrigerator?

⇨

3 The animal behind the bush was a rabbit.

⇨

4 This is an email from my cousin in London.

⇨

5 We were looking at the painting on the wall.

⇨

🔒 **해석의 Key**
두 개 이상의 전치사구가 동시에 쓰이면서 명사를 수식하기도 한다.

어법 Quiz 다음 문장에서 밑줄 친 부분의 알맞은 쓰임을 고르시오.

A The cat under the table is mine. 　형용사 / 부사

B The cat is sleeping under the table. 　형용사 / 부사

□ refrigerator 냉장고
□ bush 덤불, 관목
□ cousin 사촌
□ painting 그림
□ wall 벽

to부정사가 명사를 수식하는 문장 읽기

나는 일이 있다   해야 할

I have work | to do.

명사   to부정사(형용사 역할)

- to부정사가 **명사** 뒤에서 **명사**를 수식하여, '**~하는, ~할**'이라고 해석한다.
- 이를 to부정사의 형용사적 용법이라고 한다.

어법 Tip 형용사와 to부정사가 동시에 하나의 명사를 수식할 경우 「형용사 + 명사 + to부정사」의 어순을 따른다.

🔍 **다음 밑줄 친 부분에 유의하여 문장을 해석하시오.**

1   I need a pen <u>to write with</u>.

⇨ _____

2   It's time <u>to go to bed</u>.

⇨ _____

3   Now it's your turn <u>to kick the ball</u>.

⇨ _____

4   Don't forget to bring a jacket <u>to wear</u>.

⇨ _____

5   Please give me <u>something cold to drink</u>. 🔑

⇨ _____

🔒 **해석의 Key**

-thing, -body, -one 등
으로 끝나는 대명사는 「대
명사 + 형용사 + to부정사」
의 어순이 된다.

어법 Quiz 다음 문장의 네모 안에서 어법상 알맞은 것을 고르시오.

A   We want | air clean / clean air | to breathe.

B   Hanok Village is a | good place / place good | to visit.

☐ **turn** 차례
☐ **kick** (발로) 차다
☐ **bring** 가져가다
☐ **jacket** 재킷, 상의
☐ **wear** 입다

       Answer p.14

달팽이는 움직인다   매우 느리게

A snail moves | very slowly.
동사   부사   부사

• 부사는 형용사, 다른 부사, 동사 또는 문장 전체를 수식하며 '~하게'라고 해석한다.

어법 Tip 일반적으로 형용사에 -ly를 붙이면 부사가 되지만, 명사에 -ly가 붙어서 형용사가 된 경우도 있으므로 구분에 유의한다.

🔍 다음 밑줄 친 부분에 유의하여 문장을 해석하시오.

1 The baby is sleeping <u>soundly</u>.

⤷

2 <u>Too</u> much sugar makes you fat.

⤷

3 <u>Luckily</u>, I found my wallet at the lost and found.

⤷

4 The gentleman helped me <u>kindly</u>.

⤷

5 I <u>sometimes</u> have a stomachache before a test.

⤷

🔒 **해석의 Key**

always(항상), usually (보통), often(자주), sometimes(가끔), never (결코 ~아닌) 등의 빈도부사는 조동사나 be동사 뒤, 일반동사 앞에 쓴다.

☐ soundly 깊이, 곤히
☐ sugar 설탕
☐ luckily 운 좋게도
☐ wallet 지갑
☐ lost and found 분실물 보관소
☐ kindly 친절히
☐ stomachache 복통
☐ lovely 사랑스러운

어법 Quiz 다음 문장에서 밑줄 친 부분의 알맞은 쓰임을 고르시오.

A I <u>carefully</u> moved the flowerpot.   형용사 / 부사

B Look at the <u>lovely</u> girl in the pink dress.   형용사 / 부사

Answer p.14

나는 말할 수 있다   중국어로
I can speak | in Chinese.
동사   전치사구(부사 역할)

• 전치사구가 부사로 쓰인 경우 **동사의 뒤에서 동사를 수식**하며, 전치사구를 이끄는 전치사의 의미에 맞게 해석한다.

어법Tip 동사가 목적어나 보어를 동반하는 경우 전치사구가 동사의 바로 뒤에서 수식하지 않을 수도 있다.

🔍 다음 문장에서 전치사구가 부사로 쓰인 곳에 밑줄을 긋고, 문장을 해석하시오.

1 We walked along the coast.

2 The dancers beautifully danced on the stage.

3 Where did you stay in Thailand?

4 I swam across the river.

5 Behind the fence, a couple of kids were giggling.

🔒 **해석의 Key**

전치사구가 문장의 맨 앞이나 뒤에서 문장 전체를 수식하기도 한다.

어법Quiz 다음 문장의 네모 안에서 어법상 알맞은 것을 고르시오.

A We played | soccer in the playground / in the playground soccer |.

B The sky gets | in the evening gray / gray in the evening |.

☐ stage 무대
☐ stay 머무르다
☐ Thailand 태국
☐ fence 담장
☐ giggle 킥킥거리며 웃다

Answer p.14

to부정사가 **부사 역할**을 하는 문장 읽기

나는 도서관에 갔다   책을 반납하러
I went to the library | to return the books.
동사   전치사구   to부정사(부사 역할)

- to부정사가 **형용사나 동사의 뒤**에서 **부사의 역할**을 하기도 한다. 형용사를 수식할 때에는 '**~하기에 …한**'이라고 해석하고, 동사를 수식할 때에는 '**~하기 위해서(목적)**', '**~해서(감정의 원인)**', '**~해서 …하다(결과)**'라고 해석한다.

어법 Tip '~하지 않기 위해서', '~하지 않아서' 등의 부정의 의미를 나타내려면 「**not + to부정사**」 형태로 쓴다.

🔍 다음 문장에서 to부정사 형태의 부사구에 밑줄을 긋고, 문장을 해석하시오.

1 This puzzle is difficult to solve.

⤵

2 John was sad to break up with his girlfriend.

⤵

3 To be honest, I don't want to follow you.

⤵

4 I ran to catch the bus.

⤵

5 The girl grew up to be a famous pianist.

⤵

🔒 **해석의 Key**

to부정사가 문장의 맨 앞이나 뒤에서 문장 전체를 수식하기도 한다.

어법 Quiz 다음 문장의 네모 안에서 어법상 알맞은 것을 고르시오.

A He must be wise | to not / not to | believe it.

B I got up early | to not / not to | miss the first train.

☐ **solve** (문제 등을) 풀다
☐ **stay up late** 늦게까지 깨어있다
☐ **break up with** ~와 헤어지다
☐ **honest** 솔직한, 정직한
☐ **follow** 따라가다
☐ **hard** 어려운, 힘든
☐ **climb** (산을) 오르다, 등산하다

Answer p.15

CHAPTER 08 Exercise

네모 어법 A 다음 문장의 네모 안에서 어법상 알맞은 것을 고르시오.

01 I had a | wonderful / wonderfully | holiday in Busan. ↻ skill 43

02 There is | few / little | gasoline in the car. ↻ skill 43

03 I forgot | something / information | important to tell you. ↻ skill 43

04 | Sudden / Suddenly |, all the lights went out. ↻ skill 46

05 My aunt went to France | study / to study | art. ↻ skill 48

보기 선택 B [01-05] 다음 문장에서 밑줄 친 부분의 쓰임을 보기 에서 골라 기호를 쓰시오. ↻ skill 43, 44, 46, 47

보기 ⓐ 형용사 ⓑ 부사

01 Don't drive too <u>fast</u> near schools.

02 Our store promises <u>fast</u> delivery.

03 Ms. Kim speaks fluently <u>in English</u>.

04 My dad often reads the newspaper <u>in English</u>.

05 He is the son <u>of the mayor</u>.

A holiday 휴가 **gasoline** 휘발유 **information** 정보 **forget** 잊다 **sudden** 갑작스러운 (**suddenly** 갑자기) **light** 전등
B near 근처에 **store** 가게 **promise** 약속(하다) **delivery** 배달 **fluently** 유창하게 **mayor** 시장

다음 문장에서 밑줄 친 부분의 쓰임을 보기 에서 골라 기호를 쓰시오. ↻ skill 45, 48

보기 ⓐ 형용사 ⓑ 부사

06 I was glad <u>to see</u> her again.

07 Do you have a plan <u>to visit</u> Japan?

08 I usually use my cell phone <u>to send</u> text messages.

09 There was no chair <u>to sit</u> on in the room.

10 He woke up <u>to find</u> himself alone in the house.

해석
완성 **C** 다음 문장에 밑줄 친 부분에 유의하여, 우리말 해석을 완성하시오.

01 I prefer <u>strong</u> coffee. ↻ skill 43

↪ 나는 ＿＿＿＿＿＿＿＿＿＿＿＿＿＿＿＿＿＿＿＿＿ 커피를 선호한다.

02 The flowers <u>along the street</u> are beautiful. ↻ skill 44

↪ ＿＿＿＿＿＿＿＿＿＿＿＿＿＿＿＿＿＿＿＿＿ 핀 꽃들이 아름답다.

03 Jinho was the only student <u>to answer the question</u>. ↻ skill 45

↪ 진호는 ＿＿＿＿＿＿＿＿＿＿＿＿＿＿＿＿＿＿＿ 유일한 학생이다.

04 The girl held my hand <u>tightly</u>. ↻ skill 46

↪ 그 소녀는 내 손을 ＿＿＿＿＿＿＿＿＿＿＿＿＿＿＿＿＿.

05 I lost my bag <u>in the park</u>. ↻ skill 47

↪ 나는 ＿＿＿＿＿＿＿＿＿＿＿＿＿＿＿＿＿＿＿＿＿ 가방을 잃어버렸다.

B wake up 일어나다 alone 홀로, 혼자서
C traditional 전통적인 hold 잡다 tightly 꽉, 단단히

어순 배열 D 다음 우리말과 일치하도록 괄호 안의 말을 바르게 배열하시오.

01 과학은 흥미로운 과목이다.

(is, science, subject, an, interesting)

↻ skill 43

02 작별인사를 할 시간이다.

(it, is, time, to say, goodbye)

↻ skill 45

03 슬프게도, 그녀는 잃어버린 개를 찾지 못했다.

(she, the missing dog, couldn't find, sadly)

↻ skill 46

04 태양은 동쪽에서 뜨고, 서쪽에서 진다.

(in the east, the sun, sets, rises, and, in the west)

↻ skill 47

05 나는 시험에 떨어지지 않으려고 열심히 공부했다.

(I, not to, hard, fail, studied, the exam)

↻ skill 48

D subject 과목   missing 없어진, 실종된   rise 뜨다   east 동쪽   set 지다   west 서쪽
hard 열심히   **fail** (시험에) 떨어지다, 실패하다

접속사
문장 또는 성분의 연결

등위(等位)접속사

문법적 역할이 대등한 단어와
단어, 구와 구, 절과 절을 연결
and, but, or, so

종속(從屬)접속사

하나의 절을 다른 절에 연
결하여 명사나 부사 역할을
하게 함
**when, while, before,
after, because if, that**

접속사
단어와 단어,
구와 구, 절과 절을
연결해주는 말

Tom과 Chris는   쌍둥이다

Tom and Chris | are twins.

단어   등위접속사   단어

- and가 연결하면 '~와(과)', '~(하)고'라고 해석하고, or이 연결하면 '또는', '혹은', '~(이)나'로 해석한다.

어법Tip curry and rice(카레라이스), bread and butter(버터 바른 빵), slow and steady(느리고 꾸준한 것), all work and no play(일만 하고 놀지 않는 것)와 같이 단일 개념으로 쓰이는 말은 단수 취급한다.

🔍 다음 밑줄 친 부분에 유의하여 문장을 해석하시오.

1   It is cold and windy.

➪

2   Which do you prefer, coffee or tea?

➪

3   Suji is good at singing and dancing.

➪

4   Study hard, and you will get good grades.

➪

5   The car keys are on the table or in the drawer.

➪

🔒 **해석의 Key**

「명령문, and ~」는 '~해라, 그러면 …'로 해석하고, 「명령문, or ~」은 '~해라, 그렇지 않으면 …'로 해석한다.

어법Quiz 다음 문장의 네모 안에서 어법상 알맞은 것을 고르시오.

A   Curry and rice | is / are | my favorite meal.

B   Slow and steady | win / wins | the race.

□ windy 바람이 부는
□ prefer 선호하다, 더 좋아하다
□ be good at ~을 잘하다
□ hard 열심히 하는
□ grade 성적
□ drawer 서랍

개미는   작지만 힘이 세다

An ant | is small but strong.

단어   등위접속사   단어

• but이 연결하면 '그러나', '∼(하)지만'이라고 해석하고, so가 연결하면 '그래서', '∼해서'로 해석한다.

어법 Tip 「not A but B」는 'A가 아니라 B'라는 뜻으로, 주어로 쓰일 경우 B에 동사의 수를 일치시킨다.

🔍 다음 밑줄 친 부분에 유의하여 문장을 해석하시오.

1   The class is difficult <u>but</u> interesting.

⤷

2   Amy is very friendly, <u>so</u> everybody likes her.

⤷

3   The situation looked bad, <u>but</u> nobody gave up hope.

⤷

4   It was snowing heavily, <u>so</u> the plane couldn't take off.

⤷

5   She can speak not only English <u>but also</u> Spanish.

⤷

🔒 **해석의 Key**

「not only A but (also) B」는 'A뿐만 아니라 B도'로 해석하고, 주어로 쓰일 경우 B에 동사의 수를 일치시킨다.

어법 Quiz 다음 문장의 네모 안에서 어법상 알맞은 것을 고르시오.

A   My mother is not a doctor | and / but | a teacher.

B   Not you but I | am / are | the leader of the club.

☐ **science** 과학
☐ **subject** 과목, 주제
☐ **friendly** 친절한
☐ **situation** 상황
☐ **give up** 포기하다
☐ **take off** 이륙하다
☐ **Spanish** 스페인어

Answer p.16

시간의 접속사가 쓰인 문장 읽기

봄이 오면　　　　　　　　　　식물이 자란다
When spring comes, | plants grow.
종속접속사　　　　　　문장　　　　　　　　문장

- when은 '~할 때', '~하면'으로 해석하고, while은 '~하는 동안'으로 해석한다.
- before는 '~(하기) 전에'로 해석하고, after는 '~(한) 후에'로 해석한다.

어법 Tip 시간을 나타내는 부사절에서는 미래의 의미를 나타낼지라도 현재시제를 쓴다.

🔍 다음 문장에서 시간의 접속사에 밑줄을 긋고, 문장을 해석하시오.

1 Put your cell phones away while you're studying.

2 Before I get into the pool, I always do warm-up exercises.

3 After we watched the movie, we went shopping.

4 I cleaned the room while mom washed the dishes.

5 When it rains, it pours.

🔒 **해석의 Key**

접속사가 이끄는 절은 문장의 앞이나 중간에 모두 올 수 있다. 문장의 앞에 나올 때는 콤마(,)로 구분하고, 접속사가 문장 중간에 나오면 접속사부터 문장 끝까지를 하나로 묶어 해석한다.

어법 Quiz 다음 문장의 네모 안에서 어법상 알맞은 것을 고르시오.

A When the exam is / will be over, we will feel happy.

B I will call you after I arrive / will arrive home.

☐ **away** 떨어져
☐ **pool** 수영장
☐ **warm-up exercise** 준비운동
☐ **wash the dishes** 설거지하다
☐ **pour** (비가) 마구 쏟아지다

Answer p.16

나는 늦잠을 잤기 때문에　　　　　　　나는 학교에 늦었다

Because I overslept, | I was late for school.
종속접속사　　　　　　　문장　　　　　　　　　　문장

- because는 '~(이기) 때문에', '~이므로(이니까)'로 해석한다.

어법 Tip because 뒤에는 「주어 + 동사」 형태의 절이 오지만, because of 뒤에는 명사나 명사구가 온다.

🔍 다음 밑줄 친 부분에 유의하여 문장을 해석하시오.

1 Because I forgot to take an umbrella, I got wet.

⮑

2 Minho was tired because he played soccer all afternoon.

⮑

3 Jisu couldn't run fast because she hurt her legs.

⮑

4 I took some pills because I had a headache.

⮑

5 A: Why do you read so many books?

B: Because my mom wants me to.

⮑ A:
　 B:

🔒 **해석의 Key**

Why(왜)~?로 시작하는 이유를 묻는 질문에 답할 때 because를 이용해서 답한다.

어법 Quiz 다음 문장의 네모 안에서 어법상 알맞은 것을 고르시오.

A We couldn't go on a picnic ┃ because / because of ┃ the rain.

B I turned on the air conditioner ┃ because / because of ┃ it was hot.

- ☐ tired 피곤한
- ☐ forget to ~할 것을 잊다
- ☐ wet 젖은
- ☐ hurt 다치다
- ☐ leg 다리
- ☐ pill 알약
- ☐ headache 두통

Answer p.16

조건의 접속사가 쓰인 문장 읽기

만일 네가 규칙적으로 운동을 하면   너는 건강을 유지할 것이다

If you exercise regularly, | you will keep in shape.

종속접속사   문장   문장

- if는 '만약 ～하면', '만약 ～(이)라면'으로 해석한다.

어법Tip 조건을 나타내는 부사절에서는 미래의 의미를 나타낼지라도 현재시제를 쓴다.

🔍 다음 밑줄 친 부분에 유의하여 문장을 해석하시오.

1   I will lend you some money if you can pay me back tomorrow.

   ⇨

2   You can ride your bike if you promise to wear a helmet.

   ⇨

3   If you need any help, just let me know.

   ⇨

4   He will come to the party unless he has to work late.

   ⇨

🔒 **해석의 Key**
unless는 '만약 ～하지 않는 다면'의 뜻으로 「If ～ not」으로 바꾸어 쓸 수 있다.

5   If you miss me, just come to see me.

   ⇨

어법Quiz 다음 문장의 네모 안에서 어법상 알맞은 것을 고르시오.

A   If you [try / will try] more, you will get more opportunities.

B   You will lose the game if you [don't / won't] practice enough.

□ lend 빌려주다
□ pay back 갚다
□ promise 약속하다, 약속
□ ride 타다
□ wear 입다, 쓰다
□ helmet 헬멧
□ miss 그리워하다

Answer p.16

skill 54   that절이 주어인 문장 읽기

지구가 둥글다는 것은   사실이다

That the earth is round | is true.

주어   동사   보어

- that이 이끄는 절이 주어로 쓰인 경우 '~하는[라는] 것은[이]'라고 해석한다.
- that이 이끄는 절이 주어이면 두 번째 나오는 동사가 문장의 동사이다.

어법 Tip that절은 무조건 단수 취급함에 유의한다.

🔍 다음 문장에서 주어로 쓰인 that절에 밑줄을 긋고, 문장을 해석하시오.

1   That she is a great actress is well-known.

⇨

2   That they had a fight is certain.

⇨

3   That he won first prize surprised me.

⇨

4   It is important that you study every day.

⇨

5   That I am still sick is not a lie.

⇨

🔒 **해석의 Key**
that절이 주어로 쓰인 경우 일반적으로 그 자리에 가주어 it을 쓰고, 진주어 that절은 문장 뒤로 간다.

어법 Quiz 다음 문장의 네모 안에서 어법상 알맞은 것을 고르시오.

A   That Susan has many friends | is / are | natural.

B   That he answered all the questions | was / were | impressive.

□ **actress** 여배우
□ **well-known** 잘 알려진
□ **have a fight** 싸우다
□ **certain** 확실한, 분명한
□ **surprise** 놀라게 하다
□ **still** 여전히, 아직도
□ **lie** 거짓말

Answer p.16

that절이 목적어인 문장 읽기

나는 알았다　　　　　　　　　그가 진실을 말하고 있다는 것을
I knew | that he was telling the truth.
주어　　동사　　　　　　　　　　　목적어

- that이 이끄는 절이 목적어로 쓰인 경우 '~하는[라는] 것을'이라고 해석한다.
- that절을 목적어로 취하는 동사에는 think, know, believe, say, hope 등이 있다.

어법 Tip that이 지시대명사나 지시형용사로 쓰이는 경우도 있으므로, 구분에 주의해야 한다.

🔍 다음 문장에서 목적어로 쓰인 that절에 밑줄을 긋고, 문장을 해석하시오.

1 Do you think that the candidate will win the election?

⇨

2 I'm sure that you will pass the test this time.

⇨

3 In the past, people believed that the earth was flat.

⇨

4 People say that birds of a feather flock together.

⇨

5 I hope (that) your grandmother will get well soon.

⇨

🔒 **해석의 Key**
목적어절을 이끄는 that은 생략이 가능하다.

어법 Quiz 다음 문장에서 밑줄 친 부분의 알맞은 쓰임을 고르시오.

A Do you know that girl over there? 지시형용사 / 접속사

B Did you know that tomorrow is Mother's Day? 지시형용사 / 접속사

□ candidate 후보
□ election 선거
□ flat 평평한
□ feather 깃털
□ flock 모이다
□ get well 회복하다

Answer p.17

that절이 보어인 문장 읽기

문제는　　　　　　　~이다　　　　　　　　　　우리가 시간 없다는 것
The trouble | is | that we don't have time.
주어　　　　　　　　동사　　　　　　　　　　보어

- that이 이끄는 절이 보어로 쓰인 경우 '~라는[하다는] 것'이라고 해석한다.
- that이 이끄는 절이 보어나 목적어이면 that부터 문장 끝까지를 하나로 묶어서 해석한다.

어법 Tip that이 fact, idea, opinion, belief, news와 같은 명사 바로 뒤에 와서 앞의 명사와 동일한 의미를 갖는 동격 역할을 하는 동격절을 이끌기도 한다.

🔍 다음 문장에서 보어로 쓰인 that절에 밑줄을 긋고, 문장을 해석하시오.

1 The important thing is that we did our best.

⤷

2 The truth is that I'm still in love with her.

⤷

3 The problem is that I cannot sleep well at night.

⤷

4 My concern is that I am getting fat.

⤷

5 The rumor was that the old man passed away.

⤷

어법 Quiz 다음 문장에서 밑줄 친 부분의 알맞은 쓰임을 고르시오.

A One of my hopes is that there will be no hungry child. 동격 / 보어

B The news that the plane crashed was terrible. 동격 / 보어

□ do one's best 최선을 다하다
□ truth 진실
□ be in love with ~를 사랑하다
□ concern 걱정
□ fat 뚱뚱한
□ rumor 소문
□ pass away 사망하다, 죽다

Answer p.17

09 Exercise

A 다음 문장의 네모 안에서 내용상 알맞은 것을 고르시오.

01 English | and / but | music are my favorite subjects. ↪ skill 49

02 The main dish was not good, | but / so | the dessert was great. ↪ skill 50

03 | After / Before | you go to sleep, take your earrings off. ↪ skill 51

04 | When / Because | the traffic was heavy, I couldn't get there on time. ↪ skill 52

05 You can leave now | if / while | you're in a hurry. ↪ skill 53

B [01-05] 다음 문장에서 밑줄 친 부분의 쓰임을 보기 에서 골라 기호를 쓰시오. ↪ skill 49, 50, 51

> 보기   ⓐ 등위접속사   ⓑ 종속접속사

01 Mom baked delicious cookies, <u>and</u> I ate them.

02 You should avoid using your cell phones <u>while</u> you're driving.

03 We can eat Chinese <u>or</u> Italian food.

04 Clean up your table <u>after</u> you finish the meal.

05 I was very hungry, <u>so</u> I grabbed a sandwich.

A **main dish** 주 요리   **dessert** 후식, 디저트   **earring** 귀걸이   **traffic** 교통   **heavy** (차가) 막히는   **on time** 제시간에
in a hurry 바쁜, 급히
B **bake** 굽다   **avoid** 피하다   **clean up** 치우다   **grab** 잡다, 먹다   **stolen** 도난당한   **case** 사건   **agree** 동의하다

[06-10] 다음 문장에서 밑줄 친 부분의 쓰임을 보기 에서 골라 기호를 쓰시오.　⟲ skill 54, 55, 56

보기　　ⓐ 주어　　ⓑ 목적어　　ⓒ 보어

06 That he passed the exam is hard to believe.

07 My hope is that there won't be another such case.

08 Everyone agreed that it was a great idea.

09 It is not true that I cheated on the exam.

10 Do you believe that UFOs exist?

해석
완성 **C** 다음 문장에서 접속사에 밑줄을 긋고, 우리말 해석을 완성하시오.

01 Wear a warm coat, or you'll catch a cold.　⟲ skill 49

　따뜻한 외투를 입어라, _____.

02 My little brother is young but clever.　⟲ skill 50

　내 남동생은 _____.

03 When I got home, it started raining.　⟲ skill 51

　_____, 비가 오기 시작했다.

04 I had a strange dream while I slept.　⟲ skill 51

　_____ 나는 이상한 꿈을 꾸었다.

05 My opinion is that we should leave now.　⟲ skill 56

　나의 의견은 _____.

B cheat 부정행위를 하다　exist 존재하다
C catch a cold 감기에 걸리다　clever 영리한　strange 이상한　opinion 의견

어순배열 **D** 다음 우리말과 일치하도록 괄호 안의 말을 바르게 배열하시오.

01 나는 영화 감상과 운동하는 것에 관심이 있다.

(am, playing sports, and, interested in, watching movies) ↪ skill 49

　I _____.

02 그녀는 버스를 놓쳤기 때문에, 택시를 탔다.

(she, took, the bus, she, missed, a taxi) ↪ skill 52

　Because _____.

03 만약 내가 숙제를 안 하면, 선생님께서 내게 화를 내실 것이다.

(don't, will be, I, my teacher, do my homework, angry at me) ↪ skill 53

　If _____.

04 돼지가 멍청하다는 것은 사실이 아니다.

(is, pigs, are, not true, that, stupid) ↪ skill 54

　It _____.

05 나는 그가 아프다는 것을 알 수 있었다.

(that, was, could see, he, sick) ↪ skill 55

　I _____.

D miss 놓치다   angry 화가 난   stupid 멍청한

CHAPTER
10

비교구문
문장에서의 정도 표현

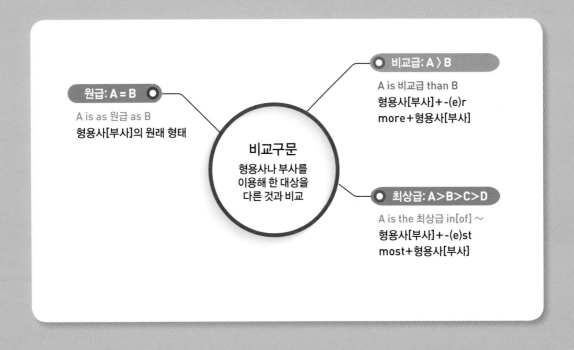

원급: A = B
A is as 원급 as B
형용사[부사]의 원래 형태

비교급: A ＞ B
A is 비교급 than B
형용사[부사]＋-(e)r
more＋형용사[부사]

최상급: A＞B＞C＞D
A is the 최상급 in[of] ～
형용사[부사]＋-(e)st
most＋형용사[부사]

비교구문
형용사나 부사를
이용해 한 대상을
다른 것과 비교

John은 키가 크다   Chris만큼

John is as tall | as Chris.
주어   동사   원급 비교 (형용사)   비교대상

- 원급 비교 「as + 형용사[부사] + as」는 둘의 정도가 거의 같을 때 쓰는 표현으로 동등비교라고도 한다.
- '주어는 비교대상만큼 형용사'하다 또는 '주어는 비교대상만큼 부사하게 동사'하다라고 해석한다.

어법Tip 부정문에서는 「not as[so] + 형용사[부사] + as」로 쓸 수 있다.

🔍 다음 밑줄 친 부분에 유의하여 문장을 해석하시오.

1 He is as strong as an ox.

⇨

2 Jisu speaks English as fluently as a native speaker.

⇨

3 Please answer me as soon as possible.

⇨

4 Math is as difficult as science for me.

⇨

5 Her teeth are as white as snow.

⇨

🔒 **해석의 Key**

'as ~ as possible(가능한 ~하게)'는 관용적으로 쓰이는 원급 표현이다.

어법Quiz 다음 문장의 네모 안에서 어법상 알맞은 것을 고르시오.

A This book is not | so / very | interesting as that book.

B I can't run as fast | as / than | you.

□ ox 황소
□ fluently 유창하게
□ native speaker 원어민
□ soon 곧, 빨리
□ tooth 치아 (복수형은 teeth)
□ snow 눈

Answer p.18

나의 머리카락은 더 길다   너의 것(너의 머리카락)보다

My hair is longer | than yours.
주어　　　동사　　비교급 (형용사)　　～보다　　비교대상

- 두 대상 중 어느 한 쪽이 정도가 더 큼을 나타낼 때 쓰며, '주어는 비교대상보다 더 형용사하다' 또는 '주어는 비교대상보다 더 부사하게 동사'하다라고 해석한다. 비교급은 형용사나 부사에 -(e)r을 붙여 만든다.

어법 Tip 비교급을 만들 때, 1음절의 「단모음 + 단자음」 단어는 끝자음을 한 번 더 쓰고 -er을 붙이고, 「자음 + -y」로 끝나는 단어는 y를 i로 바꾸고 -er을 붙인다.
불규칙하게 변화하는 단어로는 good(-better), bad(-worse), many[much](-more) 등이 있다.

🔍 다음 밑줄 친 부분에 유의하여 문장을 해석하시오.

1 Junho looks <u>older than</u> his older brother.

➡

2 A guest house is <u>cheaper than</u> a hotel.

➡

3 The world's weather has become <u>warmer than</u> before.

➡

4 The laptop is <u>more expensive</u> than the desktop.

➡

5 Sumi studies <u>harder than</u> Suho.

➡

🔒 **해석의 Key**

-ful, -ous, -ive, -ing 등으로 끝나는 2음절 단어나 3음절 이상 단어는 끝에 -(e)r을 붙이지 않고 앞에 more를 붙여 비교급을 만든다.

어법 Quiz 다음 문장의 네모 안에서 어법상 알맞은 것을 고르시오.

A Today is | hoter / hotter | than yesterday.

B A stone is | heavier / heavyer | than a feather.

- **guest house** 게스트 하우스, 소규모 호텔
- **cheap** (값이) 싼
- **laptop** 노트북 컴퓨터
- **expensive** (값이) 비싼
- **desktop** 데스크톱 컴퓨터

Answer p.18

영민은 가장 (키가) 작다　　　　　　　　그의 학급에서
Yongmin is the shortest | in his class.
　　주어　　　　　동사　　　　최상급 (형용사)　　　　　범위(~에서)

• 셋 이상의 대상 중 어느 하나가 정도가 가장 큼을 나타낼 때 쓰며, '주어는 ~(중)에서 가장 형용사하다' 또는 '주어는 ~(중)에서 가장 부사하게 동사하다'라고 해석한다. 최상급은 형용사나 부사에 -(e)st를 붙여 만든다.

어법 Tip 최상급을 만들 때, 1음절의 「단모음 + 단자음」 단어는 끝자음을 한 번 더 쓰고 -est를 붙이고, 「자음 + -y」로 끝나는 단어는 y를 i로 바꾸고 -est를 붙인다.
불규칙하게 변화하는 단어로는 good(-best), bad(-worst), many[much](-most) 등이 있다.

🔍 다음 밑줄 친 부분에 유의하여 문장을 해석하시오.

1　The cheetah is the fastest animal in the world.

⇨

2　Yesterday was the coldest day of the year.

⇨

3　It was the most shocking experience of my life.

⇨

4　I got the lowest score on the math test.

⇨

5　Jinsu jumped the highest in the P.E. class.

⇨

🔒 **해석의 Key**

-ful, -ous, -ive, -ing 등으로 끝나는 2음절 단어나 3음절 이상 단어는 끝에 -(e)st를 붙이지 않고 앞에 most를 붙여 최상급을 만든다.

어법 Quiz 다음 문장의 네모 안에서 어법상 알맞은 것을 고르시오.

A　What is the bigest / biggest land animal?

B　Winter is the best / goodest season for skiing.

☐ **cheetah** 치타
☐ **shocking** 충격적인
☐ **experience** 경험
☐ **low** 낮은
☐ **jump** 점프하다
☐ **P.E.(Physical Education)** 체육

Answer p.18

skill 60 「one of the + 최상급 + 복수명사」 문장 읽기

제주도는 가장 아름다운 섬들 중의 하나이다 　　　　　　　　　　세상에서

Jejudo is one of the most beautiful islands | in the world.
주어　　동사　　one of　　　　최상급 (형용사)　　　　복수명사　　　범위(~에서)

• 「one of the + 최상급 + 복수명사」는 '가장 ~한 … 중의 하나'라고 해석한다.

어법 Tip 「one of the + 최상급」 뒤에는 복수명사가 오는 것에 유의한다.

🔍 다음 밑줄 친 부분에 유의하여 문장을 해석하시오.

1 He is one of the most handsome boys in my school.

⇨

2 Myeong-dong is one of the most crowded places in Korea.

⇨

3 Johnny Depp is one of the best actors in America.

⇨

4 Today is one of the happiest days of my life.

⇨

5 Korean is one of the most scientific languages on earth.

⇨

어법 Quiz 다음 문장의 네모 안에서 어법상 알맞은 것을 고르시오.

A Vincent van Gogh is one of the greatest ┃ artist / artists ┃ in history.

B BTS is one of the most popular ┃ group / groups ┃ in the world.

□ **handsome** 잘생긴
□ **crowded** 붐비는
□ **place** 장소
□ **actor** 배우
□ **language** 언어
□ **on earth** 지구상에서, 세상에서

Answer p.18

109

Exercise

A 다음 문장의 네모 안에서 어법상 알맞은 것을 고르시오.

01 My bag is as / so heavy as yours. ↻ skill 57

02 China is larger as / than Japan. ↻ skill 58

03 Watching TV is easier / easyer than reading a book. ↻ skill 58

04 What is the quicker / quickest way to the airport? ↻ skill 59

05 Minsu is one among / of the smartest students in my school ↻ skill 60

B [01–10] 다음 문장에서 밑줄 친 부분의 쓰임을 보기 에서 골라 기호를 쓰시오. ↻ skill 57, 58, 59, 60

보기   ⓐ 원급   ⓑ 비교급   ⓒ 최상급

01 The living room is <u>smaller than</u> the kitchen.

02 It is <u>the worst</u> movie of this year.

03 The dessert tasted <u>better than</u> the main dish.

04 I am <u>the youngest</u> in my family.

05 He is one of <u>the best</u> soccer players in Korea.

06 The ballerina danced <u>as beautifully as</u> a butterfly.

07 The final exam was <u>not as easy as</u> the midterm exam.

A heavy 무거운 large 큰 quick 빠른 way 방법 airport 공항
B living room 거실 dessert 후식, 디저트 main dish 주요리 ballerina 발레리나 butterfly 나비 final exam 기말고사
  midterm exam 중간고사

08 The KTX is <u>faster than</u> an express bus.

09 Who works <u>the best</u> in your team?

10 Annapurna is one of <u>the highest</u> peaks in the world.

C 다음 문장의 밑줄 친 부분에 유의하여, 우리말 해석을 완성하시오.

01 He can sing <u>as well as</u> a singer. ↻ skill 57

그는 _____.

02 My room is <u>cleaner than</u> your room. ↻ skill 58

내 방이 _____.

03 Sumi eats <u>more than</u> I do. ↻ skill 58

수미는 _____.

04 Junho is <u>the tallest</u> of his friends. ↻ skill 59

준호는 그의 _____.

05 Baseball is <u>one of the most popular sports</u>. ↻ skill 60

야구는 _____.

B express bus 고속버스 high 높은 peak (산의) 봉우리
C clean 깨끗한 popular 인기 있는, 대중적인 sport 스포츠

어순배열 D 다음 우리말과 일치하도록 괄호 안의 말을 바르게 배열하시오.

01 내 발은 네 발만큼 크지 않다.

(as, not, big, my feet, as, yours, are)　　　　　　　　Skill 57

02 스마트폰은 지도보다 더 유용하다.

(is, than, more, a map, useful, a smartphone)　　　　Skill 58

03 타조는 지구상에서 가장 큰 새이다.

(an ostrich, on earth, is, bird, the biggest)　　　　Skill 59

04 플로렌스는 이탈리아에서 가장 아름다운 도시들 중의 하나이다.

(Florence, in Italy, one of, is, the most, beautiful cities)　　Skill 60

05 그는 세계에서 최고의 과학자들 중의 한명이다.

(is, he, one of, the best, in the world, scientists)　　　　Skill 60

D foot 발(복수형은 feet)　useful 유용한　map 지도　ostrich 타조　city 도시　scientist 과학자

WORKBOOK

Answer p.20

A 다음 영어를 우리말로 쓰시오.

01	shine		11	school nurse	
02	brightly		12	hostess	
03	all night long		13	guest	
04	stay		14	police officer	
05	pill		15	kindness	
06	quiet		16	place	
07	principal		17	consider	
08	inventor		18	responsible	
09	repairman		19	quiet	
10	wait for		20	age	

B 다음 우리말을 영어로 쓰시오.

01	성공하다		11	인형	
02	그만두다		12	운동화	
03	기대하다		13	은행	
04	충고하다		14	정직한	
05	가구		15	주말	
06	화, 분노		16	(맛이) 단	
07	빌려주다		17	~을 찾다	
08	허락하다		18	정보	
09	밤사이에		19	휴대전화	
10	음악가		20	복습하다	

개념 Review

Answer p.20

A 맞는 설명에는 ○, 틀린 설명에는 ×를 하시오.

01 2형식 문장은 「주어＋동사＋목적어」의 형태이다. [   ]

02 동명사와 to부정사는 목적어 역할을 할 수 있다. [   ]

03 4형식 문장에서 직접목적어는 간접목적어의 앞에 위치한다. [   ]

04 수여동사는 '~(해)주다'는 뜻을 가진다. [   ]

05 지각동사는 동사원형을 목적격 보어로 취한다. [   ]

B 다음 문장의 네모 안에서 어법상 알맞은 것을 고르시오.

01 There was / were a lot of people at the amusement park.

02 The girl swam / to swim in the pool.

03 My aunt looked so beautiful / beautifully in a wedding dress.

04 The interviewers asked several questions to / of me.

05 His mother made him a famous soccer player / to a famous soccer player .

C 다음 밑줄 친 부분을 바르게 고치시오.

01 The birds sang joyful.

02 Keep your children quietly in public places.

03 I got him to a present.

04 Your perfume smells well.

05 I expect her be on time.

🔍 다음 문장에서 동사에 밑줄을 긋고, 문장을 우리말로 해석하시오.

01 My dog eats too much.   skill 01

⇨

02 Beijing is the capital of China.   skill 02

⇨

03 Most people in the stadium looked excited.   skill 02

⇨

04 Winter came early this year.   skill 01

⇨

05 About 10 million people live in Seoul.   skill 01

⇨

06 He became a good chef.   skill 02

⇨

07 Her hair is red.   skill 02

⇨

08 There are 26 students in my class.   skill 01

⇨

09 Something smells good out there.   skill 02

⇨

10 The recipe remains a secret.   skill 02

⇨

Answer p.20

11 The department store is open from 10:30 to 8:00.   skill 02

12 His face turned pale at the news.   skill 02

13 I usually sleep seven hours a day.   skill 01

14 My grandparents are old and weak.   skill 02

15 Your English pronunciation sounds natural.   skill 02

16 We laughed a lot at his joke.   skill 01

17 My mom always stays calm.   skill 02

18 My health got worse from a lot of stress.   skill 02

19 This ice cream tastes so delicious.   skill 02

20 There was a big tree in my backyard.   skill 01

Workbook

해석 Practice ②

🔍 다음 문장에서 목적어에 밑줄을 긋고, 문장을 우리말로 해석하시오.

01 I bought a pair of jeans at the mall.   skill 03

⇨

02 My cousin in New Zealand sent me a postcard.   skill 04

⇨

03 Dongmin plays badminton with his father on Sundays.   skill 03

⇨

04 He told me a funny story.   skill 04

⇨

05 My father bought a new camera for me.   skill 04

⇨

06 Many foreigners visit Jejudo every year.   skill 03

⇨

07 Could you pass me a piece of paper?   skill 04

⇨

08 Most children like chicken.   skill 03

⇨

09 Nobody told the truth to me.   skill 04

⇨

10 I usually wash my hair in the morning.   skill 03

⇨

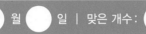

Answer p.20

11 My mom brought me an umbrella.   skill 04

⇨

12 I made some cookies for you.   skill 04

⇨

13 Many teenagers like to listen to hip hop music.   skill 03

⇨

14 My grandmother showed me an old album.   skill 04

⇨

15 The author wrote a lot of best sellers.   skill 03

⇨

16 The student asked a question of her teacher.   skill 04

⇨

17 I turned off the alarm clock.   skill 03

⇨

18 I like drawing cartoons.   skill 03

⇨

19 The driver passed his ID card to the police officer.   skill 04

⇨

20 The old lady grows many kinds of vegetables in her garden. skill 03

⇨

Workbook

🔍 다음 문장에서 목적어와 목적격 보어에 각각 밑줄을 긋고, 문장을 우리말로 해석하시오.

01 Doctors always keep their hands clean. *skill 05*

↪

02 My parents don't allow me to stay out late. *skill 06*

↪

03 The news made a lot of people cry. *skill 05*

↪

04 The carpenter made his son a great architect. *skill 05*

↪

05 I believe her to be honest. *skill 06*

↪

06 My teacher had me memorize the words. *skill 06*

↪

07 People call New York the Big Apple. *skill 05*

↪

08 Did you find the movie interesting? *skill 05*

↪

09 I made him change his mind. *skill 06*

↪

10 The clerk let the customer try on the dress. *skill 06*

↪

Answer p.21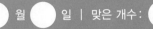

11 I consider Leonardo Da Vinci a master of art.   skill 05

⇨

12 They elected the girl captain of the team.   skill 05

⇨

13 We kept the windows open.   skill 05

⇨

14 She told me to wait for a second.   skill 06

⇨

15 I saw the children play soccer on the playground.   skill 06

⇨

16 Love keeps us alive.   skill 05

⇨

17 My friends call me a funny man.   skill 05

⇨

18 His mom wants him to become a lawyer.   skill 06

⇨

19 Don't leave me alone.   skill 05

⇨

20 He always makes me happy.   skill 05

⇨

Workbook

단어 Review

월 ○ 일 | 맞은 개수: ○ / 40

Answer p.21

A 다음 영어를 우리말로 쓰시오.

01	carefully		11	interested	
02	difficult		12	neighborhood	
03	same		13	comfortable	
04	invent		14	find	
05	expensive		15	often	
06	information		16	stair	
07	bridge		17	failure	
08	afraid		18	bored	
09	trust		19	amazing	
10	world		20	useful	

B 다음 우리말을 영어로 쓰시오.

01	끝내다		11	돌아가다	
02	크게		12	소리치다	
03	일찍		13	~에 속하다	
04	밝은		14	인기 있는	
05	나라, 국가		15	고향	
06	거짓말		16	예의 바른	
07	손님		17	깨우다	
08	대회		18	긴장한	
09	젖은		19	바닥	
10	즐기다		20	동의하다	

Answer p.21

A 맞는 설명에는 ○, 틀린 설명에는 ✕를 하시오.

01 be동사 의문문에서 be동사는 주어 앞에 위치한다. [   ]

02 How 뒤에 형용사나 부사가 오면, How는 '얼마나'라고 해석한다. [   ]

03 형용사나 부사를 강조할 때는 What 감탄문을 쓴다. [   ]

04 「명령문, or ~」에서 or는 '그러면'으로 해석한다. [   ]

05 부정형 부가의문문은 부정문 뒤에 쓴다. [   ]

B 다음 문장의 네모 안에서 어법상 알맞은 것을 고르시오.

01 Are / Do you a morning person?

02 Does a rabbit has / have a short tail?

03 What / How fantastic the magic show was!

04 Not / Don't feed the animals in the zoo.

05 You and I have the same idea, do / don't we?

C 다음 밑줄 친 부분을 바르게 고치시오.

01 He doesn't talk much, doesn't he?

02 What is your favorite movie star?

03 Be not late for the meeting.

04 Be careful, and you will lose your money.

05 How a beautiful voice the singer has!

Workbook

해석 Practice ①

🔍 다음 문장을 해석하시오.

01 Are you happy now?
skill 07

⇨

02 Did you have breakfast?
skill 08

⇨

03 Aren't you afraid of the dark?
skill 07

⇨

04 When is Parents' Day in Korea?
skill 09

⇨

05 Do you like classical music?
skill 08

⇨

06 Doesn't a cow eat grass?
skill 08

⇨

07 What time do you get up in the morning?
skill 09

⇨

08 Isn't that Christine over there?
skill 07

⇨

09 Does she have a brother?
skill 08

⇨

10 Who broke the window?
skill 09

⇨

월 ⬤ 일 | 맞은 개수 : ⬤ / 20

skill 07 be동사 의문문 읽기
skill 08 do 의문문 읽기
skill 09 의문사 의문문 읽기

Answer p.21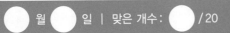

11 Don't you like action movies?　　　　　　　　　　　*skill 08*

⇨

12 How much is this shirt?　　　　　　　　　　　*skill 09*

⇨

13 Wasn't she your music teacher?　　　　　　　　　　　*skill 07*

⇨

14 Why did you come back home?　　　　　　　　　　　*skill 09*

⇨

15 Where is the post office around here?　　　　　　　　　　　*skill 09*

⇨

16 Were you born in the United States?　　　　　　　　　　　*skill 07*

⇨

17 Didn't you use the Internet?　　　　　　　　　　　*skill 08*

⇨

18 How was your trip to Jejudo?　　　　　　　　　　　*skill 09*

⇨

19 Which do you like better, Coke or orange juice?　　　　　　　　　　　*skill 09*

⇨

20 Is there a department store near your house?　　　　　　　　　　　*skill 07*

⇨

🔍 다음 밑줄 친 부분에 유의하여 문장을 해석하시오.

01 <u>Close</u> the door, please.   skill 10

⇨

02 <u>Look</u> at the color of the sea.   skill 10

⇨

03 <u>Don't run</u> on an escalator.   skill 10

⇨

04 <u>Call</u> your mom, <u>or</u> she will be worried about you.   skill 11

⇨

05 <u>Try</u> hard, <u>and</u> your dreams will come true.   skill 11

⇨

06 <u>Don't waste</u> your energy, will you?   skill 10

⇨

07 <u>Never tell</u> anyone your password.   skill 10

⇨

08 <u>Push</u> this button for three seconds.   skill 10

⇨

09 <u>Take</u> this medicine, <u>and</u> you will feel better.   skill 11

⇨

10 <u>Wear</u> a warm hat and a scarf.   skill 10

⇨

Answer p.22

11 <u>Don't forget</u> your piano lesson on Monday.   skill 10

↪

12 Please <u>turn down</u> the music.   skill 10

↪

13 <u>Never go</u> into the forest alone.   skill 10

↪

14 <u>Lend</u> me some money, will you?   skill 10

↪

15 <u>Do</u> your homework, <u>or</u> you can't play the computer game.   skill 11

↪

16 <u>Practice</u> more, <u>and</u> you will win the game.   skill 11

↪

17 <u>Don't make</u> any noise, <u>or</u> the baby will wake up.   skill 11

↪

18 <u>Never give up</u> hope in any situation.   skill 10

↪

19 <u>Follow</u> the doctor's advice, <u>and</u> you will be okay.   skill 11

↪

20 <u>Be</u> careful with the knife, <u>or</u> you will be hurt.   skill 11

↪

Workbook

🔍 다음 문장을 해석하시오.

01 What a wonderful man he is!

skill 12

> ⇨

02 How clean the classroom was!

skill 13

> ⇨

03 What a soft voice she had!

skill 12

> ⇨

04 How brave the boy was!

skill 13

> ⇨

05 How interesting your story is!

skill 13

> ⇨

06 What fresh apples she bought!

skill 12

> ⇨

07 How scary the monsters are!

skill 13

> ⇨

08 What a bright large moon!

skill 12

> ⇨

09 What tasty bread it is!

skill 12

> ⇨

10 A lot of people died in the war. How terrible!

skill 13

> ⇨

Answer p.22

11 How nice his song sounded!   skill 13

⇨

12 What a great event it is!   skill 12

⇨

13 What a funny sight it is!   skill 12

⇨

14 Look at the rainbow. How amazing!   skill 13

⇨

15 What beautiful earrings the girl is wearing!   skill 12

⇨

16 How heavily it is raining!   skill 13

⇨

17 Who is the man over there? What a tall man!   skill 12

⇨

18 How sweet these flowers smell!   skill 13

⇨

19 How yummy her food is!   skill 13

⇨

20 You are good at math and English. What a smart student!   skill 12

⇨

Workbook

해석 Practice ④

🔍 다음 밑줄 친 부분에 유의하여 문장을 해석하시오.

01 You are Jenny's sister, <u>aren't you?</u>
skill 14

⮑

02 The math test was difficult, <u>wasn't it?</u>
skill 14

⮑

03 They don't know each other, <u>do they?</u>
skill 15

⮑

04 John scored a goal yesterday, <u>didn't he?</u>
skill 14

⮑

05 Let's leave now, <u>shall we?</u>
skill 15

⮑

06 The puppy is really cute, <u>isn't it?</u>
skill 14

⮑

07 You used my spoon, <u>didn't you?</u>
skill 14

⮑

08 He isn't a famous singer, <u>is he?</u>
skill 15

⮑

09 I am not a member of your group, <u>am I?</u>
skill 15

⮑

10 Let's not waste time, <u>shall we?</u>
skill 15

⮑

skill 14 부정형 부가의문문 읽기
skill 15 긍정형 부가의문문 읽기

Answer p.22

11 Koreans like kimchi, <u>don't they?</u>   *skill 14*

⇨

12 You didn't hear the news, <u>did you?</u>   *skill 15*

⇨

13 He doesn't live in this apartment, <u>does he?</u>   *skill 15*

⇨

14 This orange tastes good, <u>doesn't it?</u>   *skill 14*

⇨

15 Let's go to the movies this Saturday, <u>shall we?</u>   *skill 15*

⇨

16 You were at the shopping mall last evening, <u>weren't you?</u>   *skill 14*

⇨

17 You are not hungry now, <u>are you?</u>   *skill 15*

⇨

18 You aren't telling a lie, <u>are you?</u>   *skill 15*

⇨

19 This bus goes to Jeonju, <u>doesn't it?</u>   *skill 14*

⇨

20 There's a park over there, <u>isn't there?</u>   *skill 14*

⇨

Answer p.22

A 다음 영어를 우리말로 쓰시오.

01	plant		11	a little
02	at first		12	comfortable
03	stranger		13	customer
04	about		14	floor
05	impossible		15	clean
06	take		16	easy
07	motto		17	difficult
08	in need		18	important
09	language		19	necessary
10	convenient		20	subway station

B 다음 우리말을 영어로 쓰시오.

01	~의 앞에		11	숲
02	밝은		12	시끄러운
03	배우다		13	끝내다
04	거짓말		14	(돈이) 들다
05	나라, 국가		15	계획
06	사용하다		16	지속되다
07	상한, 썩은		17	목표
08	건물		18	~처럼 보이다
09	붐비는		19	(거리가) 먼
10	쓰다, 소비하다		20	물다

Answer p.23

Workbook

A 맞는 설명에는 ○, 틀린 설명에는 ×를 하시오.

01 주어 자리에는 기본적으로 명사와 대명사가 온다.   [   ]

02 셀 수 없는 명사 뒤에는 동사의 복수형이 온다.   [   ]

03 There are 뒤에는 복수 명사가 온다.   [   ]

04 "It is two thirty."에서 It은 '그것'이라고 해석한다.   [   ]

05 동명사와 to부정사는 문장에서 주어로 쓰일 수 있다.   [   ]

B 다음 문장의 네모 안에서 어법상 알맞은 것을 고르시오.

01 Her / She is my science teacher.

02 There is / are some fruits in the basket.

03 It / This is Saturday today.

04 Drink / To drink a cup of coffee is not bad for your health.

05 No / Not using a real name is possible on the Internet.

C 다음 밑줄 친 부분을 바르게 고치시오.

01 The soup taste delicious.

02 There weren't any toilet paper in the restroom.

03 This took about three hours by train.

04 Eating lots of vegetables make you healthy.

05 To not carry a cell phone is a rule at my school.

해석 Practice ①

🔍 다음 문장을 해석하시오.

01 Peace is their only wish.   skill 16

⇨

02 This is a sad day for me.   skill 16

⇨

03 We are living in the 21st century.   skill 16

⇨

04 My little brother broke the window with a ball.   skill 16

⇨

05 Friendship is a way of loving.   skill 16

⇨

06 Hot chocolate is my favorite drink.   skill 16

⇨

07 Tom takes a walk along the lake every evening.   skill 16

⇨

08 I take two music lessons. One is piano, and the other is guitar.   skill 16

⇨

09 There is enough food in the house.   skill 17

⇨

10 There are a lot of people in the park.   skill 17

⇨

Workbook

11 There was no money in my wallet.   skill 17

↪

12 I am thirsty, but there's no water in my bottle.   skill 16, 17

↪

13 There isn't any good news.   skill 17

↪

14 It was Sunday, but there weren't many people at the mall.   skill 17, 18

↪

15 Was there a car accident around here?   skill 17

↪

16 It is dark and cold in here.   skill 18

↪

17 It is about $1,000!   skill 18

↪

18 It was very calm and quiet all day.   skill 18

↪

19 Time really flies. It is already winter.   skill 16, 18

↪

20 It was night, and it was raining outside.   skill 18

↪

해석 Practice ②

🔍 다음 문장에서 주어에 밑줄을 긋고, 문장을 해석하시오.

01 Studying online is convenient.　　　　skill 19

⇨

02 Swimming in the sea is dangerous.　　　　skill 19

⇨

03 Fixing computers is his job.　　　　skill 19

⇨

04 Running 2 kilometers is hard.　　　　skill 19

⇨

05 Writing is good for your brain.　　　　skill 19

⇨

06 Taking a test gives us a lot of stress.　　　　skill 19

⇨

07 Raising insects is an interesting hobby.　　　　skill 19

⇨

08 Not being honest is your problem.　　　　skill 19

⇨

09 Trying new foods is a fun part of a trip.　　　　skill 19

⇨

10 Watching TV for a long time is bad for your eyes.　　　　skill 19

⇨

Answer p.23

11 To skate on the ice is fun. *skill 20*

12 To do my best is my motto. *skill 20*

13 To carry a smartphone is useful. *skill 20*

14 To learn a foreign language is difficult. *skill 20*

15 To be on time is important. *skill 20*

16 Sometimes, to say "No" is necessary. *skill 20*

17 To read all the books is my plan. *skill 20*

18 To make a change is not easy for people. *skill 20*

19 To see animals at the zoo is exciting. *skill 20*

20 Not to sleep enough makes us feel tired. *skill 20*

Workbook

Answer p.23

A 다음 영어를 우리말로 쓰시오.

01	farmer		11	chicken
02	police officer		12	protect
03	treat		13	respect
04	trust		14	hide
05	fence		15	express
06	adapt		16	make it
07	horse		17	fall into
08	share		18	crazy
09	college		19	believe
10	judge		20	decision

B 다음 우리말을 영어로 쓰시오.

01	구멍		11	주문하다
02	이기다		12	(소리를) 줄이다
03	보고서		13	세우다, 짓다
04	공장		14	관리자, 매니저
05	비난하다		15	잘못
06	두드리다		16	서비스, 봉사
07	무대		17	축제
08	뜨개질하다		18	움직이다
09	감싸다, 덮다		19	수건
10	누르다, 밀다		20	따르다

Answer p.24

A 맞는 설명에는 ◯, 틀린 설명에는 ✕를 하시오.

01 목적어 자리에는 인칭대명사의 목적격이 올 수 있다.   [   ]

02 "I saw it myself."에서 myself는 '나 자신을'이라고 해석한다.   [   ]

03 전치사의 목적어로 to부정사가 올 수 있다.   [   ]

04 동명사가 목적어로 쓰인 경우 '~하는 것을', '~하기를'로 해석한다.   [   ]

05 동사 expect는 to부정사를 목적어로 취한다.   [   ]

B 다음 문장의 네모 안에서 어법상 알맞은 것을 고르시오.

01 Please give me three red roses and two yellow one / ones .

02 The door opened slowly by it / itself .

03 We can only learn to love by loving / to love .

04 I enjoy meeting / to meet new people.

05 We agreed to act / acting together.

C 다음 밑줄 친 부분을 바르게 고치시오.

01 I lost my camera last week, so I bought a new ones.

02 Calm you. I'm here with you.

03 I'm upset about fail the test.

04 We decided going to Jeju Island.

05 I stopped to drink energy drinks. They're bad for my health.

Workbook

목적어

해석 Practice ①

🔍 다음 밑줄 친 부분에 유의하여 문장을 해석하시오.

01 I invited <u>them</u> to the party.

skill 21

⇨

02 He plays <u>the guitar</u> in his free time.

skill 21

⇨

03 Do you need <u>a pen</u>? I have <u>one</u>.

skill 21

⇨

04 I watched <u>TV</u> for two hours.

skill 21

⇨

05 I lost <u>my slippers</u>. I need new <u>ones</u>.

skill 21

⇨

06 I heard <u>this</u> from my neighbor.

skill 21

⇨

07 Susan chose <u>another</u> and tried again.

skill 21

⇨

08 I bought <u>myself</u> a new hat.

skill 22

⇨

09 Trust <u>yourself</u>, and you can do anything.

skill 22

⇨

10 We introduced <u>ourselves</u> to each other.

skill 22

⇨

skill 21 명사 · 대명사가 목적어인 문장 읽기
skill 22 재귀대명사가 목적어인 문장 읽기
skill 23 「전치사＋목적어」 문장 읽기

Answer p.24

11 She protected <u>herself</u> from the disease.　　　　skill 22

12 The members expressed <u>themselves</u> freely.　　　　skill 22

13 The candle went out <u>by itself</u>.　　　　skill 22

14 Jack finished the work <u>for himself</u>.　　　　skill 22

15 He always talks badly <u>about others</u>.　　　　skill 23

16 I spent a lot of time <u>with them</u>.　　　　skill 23

17 She is thinking <u>of changing her job</u>.　　　　skill 23

18 My family talked <u>about staying at a hotel on Christmas</u>.　　　　skill 23

19 Our kids learned a lot <u>by traveling abroad</u>.　　　　skill 23

20 I'm worried <u>about taking a math test</u>.　　　　skill 23

🔍 다음 문장에서 목적어에 밑줄을 긋고, 문장을 해석하시오.

01 I finished cleaning my house.

skill 24

02 Kevin enjoys playing winter sports.

skill 24

03 I don't mind working on the weekend.

skill 24

04 The telephone kept ringing for ten minutes.

skill 24

05 The marathoner gave up running on the track.

skill 24

06 Avoid wasting your time on computer games.

skill 24

07 Jessica practices playing the cello every day.

skill 24

08 Thomas finished painting the table.

skill 24

09 Enjoy drinking lemon water during the summer.

skill 24

10 I don't mind sharing a room with another person.

skill 24

Answer p.24

11 Michael decided to study law.   skill 25

12 I plan to do volunteer work.   skill 25

13 I hope to be a famous basketball player.   skill 25

14 He promised to pay back the money.   skill 25

15 We expect to meet him someday.   skill 25

16 They didn't want to go there at first.   skill 25

17 You need to eat a lot of vegetables.   skill 25

18 They agreed to respect the rules.   skill 25

19 I wish to continue this work with you.   skill 25

20 The couple plans to marry next spring.   skill 25

단어 Review

○ 월 ○ 일 | 맞은 개수: ○ /40

Answer p.24

A 다음 영어를 우리말로 쓰시오.

01	leader		11	grade	
02	classmate		12	tear	
03	nickname		13	unreal	
04	dull		14	tour guide	
05	fall		15	repair	
06	season		16	give up	
07	leaf		17	race	
08	easily		18	pastime	
09	healthy		19	fluently	
10	refrigerator		20	hatred	

B 다음 우리말을 영어로 쓰시오.

01	의무		11	국제적인	
02	천사		12	마을	
03	안전한		13	성인, 성자	
04	복습하다		14	노력, 수고	
05	텅 빈		15	벽	
06	뺨		16	벚꽃	
07	학자		17	기대하다	
08	선출하다		18	여행 가방	
09	발전		19	정직한	
10	통신		20	허락하다	

보어

개념 Review

월 ⬤ 일 | 맞은 개수: ⬤ /15

Answer p.25

A 맞는 설명에는 ○, 틀린 설명에는 ×를 하시오.

01 주격 보어는 주어의 뜻을 보충하는 말이다. [ ]

02 명사가 목적격 보어이면 목적어와 동격 관계이다. [ ]

03 동명사는 주격 보어로 쓰일 수 없다. [ ]

04 동사 go가 형용사 보어를 취하면 '~되다'라고 해석한다. [ ]

05 지각동사는 목적격 보어로 to부정사를 취한다. [ ]

B 다음 문장의 네모 안에서 어법상 알맞은 것을 고르시오.

01 Mina is a great dance / dancer .

02 Your story sounds a little strange / strangely .

03 Our mistakes make us be / to be more careful.

04 The students kept silence / silent during the exam.

05 My neighbor asked me look / to look after his dog.

C 다음 밑줄 친 부분을 바르게 고치시오.

01 Tony became a lead of the school band.

02 Under the Christmas tree, everyone looked so happily.

03 The key to success is to not give up.

04 Laughter makes people health.

05 My teacher had me to collect the paper.

Workbook

해석 Practice ①

🔍 다음 문장에서 보어에 밑줄을 긋고, 문장을 우리말로 해석하시오.

01 The little boy became a famous actor ten years later.
skill 26

⤵

02 I always feel tired in the morning.
skill 27

⤵

03 This skirt is too tight for me.
skill 27

⤵

04 Cotton candy tastes sweet.
skill 27

⤵

05 My goal is to lose five kilograms in a month.
skill 28

⤵

06 Our homework is to visit an art gallery.
skill 28

⤵

07 All the fans in the concert hall looked excited.
skill 27

⤵

08 Smartphones are useful in many ways.
skill 27

⤵

09 The couple next door are soldiers.
skill 26

⤵

10 At the news, her face turned pale.
skill 27

⤵

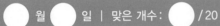

Answer p.25

Workbook

11   This tea tastes bitter.   skill 27

12   Food goes bad easily in the hot season.   skill 27

13   The man with sunglasses is my math teacher.   skill 26

14   Her dream is to become a novelist.   skill 28

15   Luck is believing you are lucky.   skill 29

16   My job is teaching English to middle school students.   skill 29

17   Your shoelace came loose.   skill 27

18   My position on the soccer team is the goal keeper.   skill 26

19   You will never get bored or lonely with a hobby.   skill 27

20   My favorite exercise is walking.   skill 29

🔍 다음 문장에서 보어에 밑줄을 긋고, 문장을 우리말로 해석하시오.

01 He named his daughter Kate.   skill 30

⇨

02 I found the book interesting and educational.   skill 31

⇨

03 Let's keep it a secret.   skill 30

⇨

04 I saw a blind man and his dog cross the road.   skill 32

⇨

05 American people elected him their president.   skill 30

⇨

06 You should help your mom do the housework.   skill 32

⇨

07 His boss allowed him to take one week's leave.   skill 32

⇨

08 Keep your hands clean for your health.   skill 32

⇨

09 The shock turned his hair white.   skill 31

⇨

10 I want you to leave the room now.   skill 32

⇨

11 Two cups of coffee kept me awake until late at night. *skill 32*

↪

12 I heard my dad call my name. *skill 32*

↪

13 My uncle painted the fence light blue. *skill 31*

↪

14 People consider the *Mona Lisa* a masterpiece. *skill 30*

↪

15 The villagers called him a fool. *skill 30*

↪

16 It makes everything clear. *skill 31*

↪

17 All the teachers believed him a good student. *skill 30*

↪

18 What makes the earth move around the sun? *skill 32*

↪

19 The police advised us to stay at home. *skill 32*

↪

20 I felt someone touch my shoulder. *skill 32*

↪

Workbook

Answer p.25

A 다음 영어를 우리말로 쓰시오.

01	be good at		11	shake	
02	important		12	west	
03	spider		13	pocket	
04	invent		14	find	
05	bus stop		15	brush	
06	basketball		16	gym	
07	grass		17	playground	
08	outside		18	pack	
09	at that time		19	bark	
10	earthquake		20	report	

B 다음 우리말을 영어로 쓰시오.

01	(해 · 달이) 지다		11	늦게	
02	눕다		12	그리다	
03	벽		13	진실	
04	물다		14	회의	
05	지구		15	산책시키다	
06	한 켤레[쌍]의		16	이륙하다	
07	해변		17	방문하다	
08	식물		18	자라다	
09	개최하다, 열다		19	병원	
10	샤워를 하다		20	힘든 시간을 보내다	

Answer p.26

A 맞는 설명에는 ○, 틀린 설명에는 ×를 하시오.

01 일반적인 사실이나 불변의 진리는 현재시제로 표현한다. [   ]

02 과거에 진행 중이었던 일은 과거시제로 나타낸다. [   ]

03 일반동사의 과거형 규칙 변화는 동사에 −(e)d를 붙인다. [   ]

04 have가 '가지다'라는 의미일 경우 진행형으로 쓸 수 있다. [   ]

05 "Nancy was listening to music."에서 밑줄 친 부분은 '듣고 있었다'로 해석된다. [   ]

B 다음 문장의 네모 안에서 어법상 알맞은 것을 고르시오.

01 The sun rose / rises in the east.

02 I have / had a strange dream last night.

03 General Yi built / builds the turtle ship.

04 It is geting / getting dark outside.

05 Mom is / was cooking dinner when I came home.

C 다음 밑줄 친 부분을 바르게 고치시오.

01 Time was money.

02 I droped the coffee cup at the café.

03 Kate is having blue eyes.

04 A cat is siting on the roof.

05 Minho is playing badminton at the park yesterday.

Workbook

해석 Practice ①

🔍 다음 문장에서 동사에 밑줄을 긋고, 문장을 해석하시오.

01 I drink lots of water everyday.

skill 33

⇨

02 My friends are nice and funny.

skill 33

⇨

03 It rained a lot last year.

skill 34

⇨

04 Trees are shaking in the wind.

skill 35

⇨

05 The students usually have lunch at 12:30 p.m.

skill 33

⇨

06 They were buying tickets for the concert.

skill 36

⇨

07 My father was born in a small town.

skill 34

⇨

08 Are you having a great time here?

skill 35

⇨

09 What were you doing at noon yesterday?

skill 36

⇨

10 The baby is sleeping in the bed.

skill 35

⇨

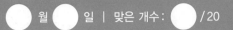
 Answer p.26

11 Water boils at 100℃.   skill 33

12 I was not sleeping when you came home.   skill 36

13 Were you looking for this book?   skill 36

14 He is not staying at this hotel.   skill 35

15 A long time ago, most towns were very small.   skill 34

16 When you called me, I was taking a shower.   skill 34, 36

17 The Korean War began in 1950.   skill 34

18 You are not listening to me.   skill 35

19 Sumi studied hard for the exam.   skill 34

20 We have four seasons in Korea.   skill 33

Workbook

단어 Review

A 다음 영어를 우리말로 쓰시오.

Answer p.26

01	farewell party		11	rumor	
02	mind		12	true	
03	forget		13	absent	
04	moment		14	stay up all night	
05	turn off		15	tell a lie	
06	elevator		16	save	
07	carry		17	patient	
08	foreign language		18	office	
09	already		19	apologize	
10	rest		20	hurry	

B 다음 우리말을 영어로 쓰시오.

01	자정, 밤 12시		11	보고서	
02	식사		12	빌려주다	
03	약속		13	크게	
04	살이 찐		14	잠시 동안	
05	~를 돌보다		15	(돈을) 쓰다	
06	올바르게 처신하다		16	마을 사람	
07	수의사		17	재건축하다	
08	미래		18	다리	
09	자신의		19	고장이 난	
10	제출하다		20	외우다, 암기하다	

조동사

개념 Review

Answer p.26

A 맞는 설명에는 ◯, 틀린 설명에는 ✕를 하시오.

01 조동사 뒤에는 동사원형이 온다. [   ]

02 will은 미래의 의미 외에도 요청의 의미가 있다. [   ]

03 can이 허가의 의미를 가질 때 be able to로 바꿔 쓸 수 있다. [   ]

04 must가 추측을 의미할 때 '~일지도 모른다'로 해석한다. [   ]

05 should는 must보다 강제성이 약한 의무를 의미한다. [   ]

B 다음 문장의 네모 안에서 어법상 알맞은 것을 고르시오.

01 I am / will stay in Sydney.

02 Are / Can you send me the files?

03 May / Must I take your order? Are you ready?

04 You not must / must not drink and drive.

05 We not should / should not play computer games too much.

C 다음 밑줄 친 부분을 바르게 고치시오.

01 When will you are free? I need to talk to you.

02 I can eat any more. I'm too full.

03 Jisu may knows Minho's phone number.

04 Mira musts be sick. She looks pale.

05 They doesn't have to finish the work today.

해석 Practice ①

다음 문장에서 조동사(부정형인 경우 not 포함)에 밑줄을 긋고, 문장을 우리말로 해석하시오.

01 Robots will work for people in the future. skill 37

02 I can't remember your email address. skill 38

03 May I have your name and phone number? skill 39

04 I will visit your house sometime next month. skill 37

05 I won't forget your birthday again. skill 37

06 Can you help me with the housework? skill 38

07 The old man can't work anymore. skill 38

08 John had a swimming lesson today. He may be tired. skill 39

09 How may I help you? skill 39

10 Nobody can live without food. skill 38

skill 37 will이 쓰인 문장 읽기
skill 38 can이 쓰인 문장 읽기
skill 39 may가 쓰인 문장 읽기

Answer p.26

11 Jisu is always alone. She won't talk to anyone. *skill 37*

12 Cheer up! You will do better next time. *skill 37*

13 May I speak to the manager? *skill 39*

14 Could you please turn down the volume? *skill 38*

15 My team will win this game. *skill 37*

16 Can I try on the sneakers? *skill 38*

17 Will it rain the day after tomorrow? *skill 37*

18 Paul didn't call me. He may not know my phone number. *skill 39*

19 We can't see the stars tonight. *skill 38*

20 They may not see each other again. *skill 39*

해석 Practice ②

다음 문장에서 조동사(부정형인 경우 not 포함)에 밑줄을 긋고, 문장을 우리말로 해석하시오.

01 You must not park here.
skill 40

02 You must think again about him.
skill 40

03 He has to work late tonight.
skill 41

04 Tom got up late this morning, so he had to skip breakfast.
skill 41

05 You must not walk around alone late at night. It's dangerous.
skill 40

06 We have to finish the project by tomorrow.
skill 41

07 Students should wear school uniforms at school.
skill 42

08 We shouldn't pick flowers in the park.
skill 42

09 You don't have to worry about it.
skill 41

10 The movie must be interesting. A lot of people saw it.
skill 40

 월 ◯ 일 | 맞은 개수 : ◯ / 20

skill 40 must가 쓰인 문장 읽기
skill 41 have to가 쓰인 문장 읽기
skill 42 should가 쓰인 문장 읽기

Answer p.27

11 The man must be a millionaire. He drives a very fancy car.   skill 40

⇨

12 Cinderella had to go back home before midnight.   skill 41

⇨

13 You should visit the Eiffel Tower in Paris.   skill 42

⇨

14 My mother doesn't answer the phone. She must be busy.   skill 40

⇨

15 I don't have to get up early on weekends.   skill 41

⇨

16 It's snowing a lot. You should not drive today.   skill 42

⇨

17 Should I pay for the room now?   skill 42

⇨

18 The news must not be true. It's unbelievable!   skill 40

⇨

19 We should recycle paper and cans for the environment.   skill 42

⇨

20 Brian must like you. His face turns red in front of you.   skill 40

⇨

Workbook

단어 Review

Answer p.27

A 다음 영어를 우리말로 쓰시오.

01	rugby		11	wall
02	tough		12	turn
03	precious		13	kick
04	mysterious		14	bring
05	soft		15	mayor
06	fluently		16	wear
07	refrigerator		17	soundly
08	bush		18	sugar
09	lovely		19	luckily
10	hold		20	wallet

B 다음 우리말을 영어로 쓰시오.

01	분실물 보관소		11	~와 헤어지다
02	친절히		12	없어진, 실종된
03	복통		13	따라가다
04	무대		14	어려운, 힘든
05	홀로, 혼자서		15	(산을) 오르다, 등산하다
06	전통적인		16	과목
07	담장		17	휘발유
08	배달		18	정보
09	(문제 등을) 풀다		19	잊다
10	늦게까지 깨어있다		20	갑작스러운

CHAPTER
08 수식어구

개념 Review

Workbook

Answer p.27

A 맞는 설명에는 ○, 틀린 설명에는 ×를 하시오.

01 형용사(구)는 명사 뒤에서만 명사를 수식한다.   [   ]

02 -thing으로 끝나는 대명사는 형용사가 앞에 온다.   [   ]

03 전치사구는 형용사나 부사 역할을 할 수 있다.   [   ]

04 명사에 -ly가 붙어서 형용사가 된 경우는 없다.   [   ]

05 to부정사에 부정의 의미를 더하려면 to부정사 앞에 not을 붙인다.   [   ]

B 다음 문장의 네모 안에서 어법상 알맞은 것을 고르시오.

01 Minsu usual / usually skips breakfast.

02 I had little / few money in my pocket.

03 They were looking at stars in the sky / the sky .

04 She tried to move quietly not to wake / to not wake the baby up.

05 The boy grew up be / to be the president of the country.

C 다음 밑줄 친 부분을 바르게 고치시오.

01 Having <u>special someone</u> in your life is a blessing.

02 I went to the supermarket <u>buy to</u> groceries.

03 I need a piece of paper <u>write</u> on.

04 Yuna <u>often is</u> late for school.

05 I exercise regularly <u>keep to</u> in shape.

해석 Practice ①

🔍 다음 문장에서 형용사 역할을 하는 수식어(구)에 밑줄을 긋고, 문장을 우리말로 해석하시오.

01 We should help poor children.

skill 43

⇨

02 A friend in need is a friend indeed.

skill 43

⇨

03 I saw something strange in the dark.

skill 43

⇨

04 Would you like some cookies?

skill 43

⇨

05 You made a few small mistakes.

skill 43

⇨

06 Let's set up a time and a place to meet.

skill 45

⇨

07 A lot of seats in the theater were empty.

skill 43, 44

⇨

08 The beverage in the bottle is orange juice.

skill 44

⇨

09 We had a chance to get close.

skill 45

⇨

10 Everyone needs someone to depend on.

skill 45

⇨

 Answer p.27

11 Who took the picture in the frame?   skill 44

↪

12 I would like to buy comfortable sneakers.   skill 43

↪

13 We are looking for an honest and diligent person.   skill 43

↪

14 Why don't we move to a quiet place to talk?   skill 45

↪

15 Did you make the hamburger on the table?   skill 44

↪

16 The clock on the wall is not working.   skill 44

↪

17 She received a letter from her friend.   skill 44

↪

18 She wants to meet someone handsome.   skill 43

↪

19 I have nothing special to do this weekend.   skill 45

↪

20 The dolphins in the aquarium were so cute.   skill 44

↪

Workbook

해석 Practice ②

🔍 다음 문장에서 부사 역할을 하는 수식어(구)에 밑줄을 긋고, 문장을 우리말로 해석하시오.

01 I listen to music on my way to school.

skill 47

↪

02 The airplane landed on the ground.

skill 47

↪

03 Try to act wisely.

skill 46

↪

04 My mother never drinks coffee.

skill 46

↪

05 They often go skiing in the winter.

skill 46, 47

↪

06 I do the laundry in the evening.

skill 47

↪

07 He gladly accepted my proposal.

skill 46

↪

08 Surprisingly, she was calm.

skill 46

↪

09 I took a memo not to forget the important information.

skill 48

↪

10 We were happy to hear the news.

skill 48

↪

Answer p.27

11 The baby takes a nap for two hours in the afternoon.   skill 47

⇨

12 Lots of butterflies were flying in the garden.   skill 47

⇨

13 I usually have breakfast at 7.   skill 46, 47

⇨

14 The monkey used stones to break hard nuts.   skill 48

⇨

15 My grandmother lived to be 80 years old.   skill 48

⇨

16 English novels are difficult to read.   skill 48

⇨

17 To be frank, I don't like your food.   skill 48

⇨

18 In the school gym, a few students are playing basketball.   skill 47

⇨

19 We were shocked to see the accident.   skill 48

⇨

20 I had to put on my glasses to see the sign.   skill 48

⇨

단어 Review

Answer p.28

A 다음 영어를 우리말로 쓰시오.

01	prefer		11	tired	
02	be good at		12	wet	
03	grade		13	hurt	
04	drawer		14	headache	
05	subject		15	lend	
06	situation		16	pass away	
07	give up		17	promise	
08	take off		18	wear	
09	pour		19	stupid	
10	wash the dishes		20	actress	

B 다음 우리말을 영어로 쓰시오.

01	잘 알려진		11	진실	
02	깃털		12	놓치다	
03	확실한, 분명한		13	영리한	
04	놀라게 하다		14	소문	
05	여전히, 아직도		15	교통	
06	거짓말		16	제 시간에	
07	후보		17	피하다	
08	선거		18	동의하다	
09	회복하다		19	존재하다	
10	최선을 다하다		20	의견	

접속사

개념 Review

Answer p.28

A 맞는 설명에는 ○, 틀린 설명에는 ×를 하시오.

01 등위접속사는 문법적 성격이 같은 두 성분을 연결한다. [　　]

02 and와 but은 종속접속사이다. [　　]

03 before는 조건을 나타내는 접속사이다. [　　]

04 When은 '~할 때'라고 해석한다. [　　]

05 조건의 접속사 If가 이끄는 절은 미래의 의미라 해도 현재시제를 쓴다. [　　]

B 다음 문장의 네모 안에서 어법상 알맞은 것을 고르시오.

01 Which one is your pet, the dog and / or the cat?

02 *Tteokbokki* is spicy but / so tasty.

03 Because / Because of the earthquake, the building fell down.

04 It / That I can speak three languages is not a lie.

05 It / That was amazing that they won the final match.

C 다음 밑줄 친 부분을 바르게 고치시오.

01 It is warm and sun today.

02 The truth is it he is blind.

03 When my father will come home, we will eat dinner together.

04 Unless it doesn't rain tomorrow, we will water the garden.

05 That there are many poor people in the city are true.

Workbook

🔍 다음 문장을 밑줄 친 부분에 유의하여 우리말로 해석하시오.

01 I can play the piano, <u>but</u> cannot play the violin.

skill 50

⇨

02 The price was cheap <u>and</u> the service was great.

skill 49

⇨

03 The room was so cold, <u>so</u> I turned on the heater.

skill 50

⇨

04 We can download music <u>or</u> movies from the Internet.

skill 49

⇨

05 I like winter sports such as skiing, snowboarding, <u>and</u> ice skating.

skill 49

⇨

06 Bread <u>and</u> butter is my usual breakfast.

skill 49

⇨

07 Do you want it to go <u>or</u> for here?

skill 49

⇨

08 I am <u>not</u> sick <u>but</u> tired.

skill 50

⇨

09 Be careful, <u>or</u> you will get hurt.

skill 49

⇨

10 A tree fell down <u>and</u> blocked the road.

skill 49

⇨

Answer p.28

11 The cap was expensive, <u>so</u> I didn't buy it. *skill 50*

⇨

12 The movie was <u>not only</u> exciting <u>but also</u> touching. *skill 50*

⇨

13 Which do you like better, apple juice <u>or</u> orange juice? *skill 49*

⇨

14 We made a campfire <u>and</u> sang songs together. *skill 49*

⇨

15 My camera is old, <u>but</u> it works well. *skill 50*

⇨

16 Take a rest, <u>and</u> you'll feel better. *skill 49*

⇨

17 There was a big parade, <u>so</u> many people came to see it. *skill 50*

⇨

18 You can call me <u>or</u> text me. *skill 49*

⇨

19 <u>Not</u> just you <u>but</u> all of us make mistakes. *skill 50*

⇨

20 Do you go to school by bus <u>or</u> by subway? *skill 49*

⇨

해석 Practice ②

🔍 다음 문장에서 접속사에 밑줄을 긋고, 문장을 우리말로 해석하시오.

01 When I woke up, it was already 9 o'clock.

skill 51

02 I grabbed a taxi because I was in a hurry.

skill 52

03 While you are eating, you should not speak.

skill 51

04 Brush your teeth after you have a meal.

skill 51

05 I went back home before it got dark.

skill 51

06 If you try hard, you will succeed.

skill 53

07 I had to walk home because I had no money.

skill 52

08 You can stay here if you want.

skill 53

09 After you finish your homework, you can go out to play.

skill 51

10 Because the weather was fine, we took a walk.

skill 52

Answer p.29

11 Jina's family moved to Canada when she was ten.   skill 51

12 Turn off the light before you leave the room.   skill 51

13 Can you take care of my dog while I am out of town?   skill 51

14 I can make you a sandwich if you are hungry.   skill 53

15 My father gets up early because he is diligent.   skill 52

16 When he went there, she was working.   skill 51

17 There was a fire in my house while we were out.   skill 51

18 The sun shined after the rain stopped.   skill 51

19 If you leave now, you will catch the train.   skill 53

20 Why don't you say sorry to her before it's too late?   skill 51

접속사

해석 Practice ③

🔍 다음 문장에서 밑줄 친 부분이 주어, 목적어, 보어 중 무엇인지 밝히고, 문장을 우리말로 해석하시오.

01 <u>That they are twin sisters</u> is true.   skill 54

⇨

02 My wish is <u>that everyone lives happily.</u>   skill 56

⇨

03 Remember <u>that I will always be there for you.</u>   skill 55

⇨

04 Your problem is <u>that you worry too much.</u>   skill 56

⇨

05 It is not surprising <u>that she won first prize in the contest.</u>   skill 54

⇨

06 I hope <u>that you have a great time here in Korea.</u>   skill 55

⇨

07 <u>That you have to leave</u> makes me sad.   skill 54

⇨

08 The truth is <u>that nobody knows what will happen tomorrow.</u>   skill 56

⇨

09 Do you agree <u>that a television is an idiot box?</u>   skill 55

⇨

10 I wasn't sure <u>that I was doing the right thing.</u>   skill 55

⇨

skill 54 that절이 주어인 문장 읽기
skill 55 that절이 목적어인 문장 읽기
skill 56 that절이 보어인 문장 읽기

 Answer p.29

Workbook

11 Did you hear that Mr. Kim was moving to another school?

skill 55

12 The important thing is that we are together.

skill 56

13 It is natural that he fell in love with her.

skill 54

14 It was a lie that my teacher was in a car accident.

skill 54

15 I hope that she will be back soon.

skill 55

16 That we will win the game is certain.

skill 54

17 I believe that you are telling me the truth.

skill 55

18 One of my concerns is that we are wasting too much energy.

skill 56

19 They didn't know that they were in danger.

skill 55

20 Are you sure that you can do this?

skill 55

단어 Review

Answer p.29

A 다음 영어를 우리말로 쓰시오.

01	ox		11	useful	
02	fluently		12	cheetah	
03	native speaker		13	shocking	
04	soon		14	experience	
05	tooth		15	low	
06	snow		16	jump	
07	guest house		17	scientist	
08	cheap		18	handsome	
09	laptop		19	crowded	
10	expensive		20	place	

B 다음 우리말을 영어로 쓰시오.

01	타조		11	후식, 디저트	
02	언어		12	주요리	
03	지구상에서, 세상에서		13	발레리나	
04	무거운		14	나비	
05	큰		15	기말고사	
06	빠른		16	중간고사	
07	방법		17	고속버스	
08	공항		18	높은	
09	거실		19	(산의) 봉우리	
10	지도		20	인기 있는, 대중적인	

개념 Review

Answer p.29

A 맞는 설명에는 ○, 틀린 설명에는 ×를 하시오.

01 주어 자리에는 기본적으로 명사와 대명사가 온다. [ ]

02 비교급 문장에서 비교 대상 앞에 as를 쓴다. [ ]

03 3음절 이상의 단어는 비교급을 만들 때 앞에 most를 붙인다. [ ]

04 good과 bad의 최상급은 각각 best와 worst이다. [ ]

05 「one of the＋최상급＋복수명사」는 '가장 ~한 …중의 하나'라고 해석한다. [ ]

B 다음 문장의 네모 안에서 어법상 알맞은 것을 고르시오.

01 The school gym is as big as / than the playground.

02 I am heavier / heavyer than my older sister.

03 A pencil is thiner / thinner than a crayon.

04 Health is the more / most important thing in life.

05 Japchae is one of / in the most famous Korean foods.

C 다음 밑줄 친 부분을 바르게 고치시오.

01 Yunho is not as kind so his brother.

02 An elephant is biger than a mouse.

03 Imagination is importanter than knowledge.

04 Honesty is the goodest policy.

05 I am one of the tallest girl in my school.

Workbook

비교구문

해석 Practice ①

🔍 다음 문장의 밑줄친 부분에 유의하여, 문장을 우리말로 해석하시오.

01 A taxi is <u>quicker than</u> the subway. skill 58

⇨

02 Love is <u>as sweet as</u> chocolate. skill 57

⇨

03 Her son is <u>the most important</u> person to her. skill 59

⇨

04 Korea is <u>not so big as</u> China. skill 57

⇨

05 You look <u>older than</u> your age. skill 58

⇨

06 Mt. Everest is <u>the highest of all</u> the mountains. skill 59

⇨

07 Today's weather is <u>worse than</u> yesterday's weather. skill 58

⇨

08 I don't get up <u>as early as</u> my mother in the morning. skill 57

⇨

09 Nami is <u>one of my best</u> friends. skill 60

⇨

10 Canada is <u>larger than</u> China. skill 58

⇨

Answer p.29

Workbook

11 Susan is <u>the cleverest</u> among us.   skill 59

⇨

12 My cell phone is <u>not as expensive as</u> yours.   skill 57

⇨

13 Come here <u>as quickly as</u> possible.   skill 57

⇨

14 What is <u>the brightest</u> star in the sky?   skill 59

⇨

15 A watermelon is <u>bigger than</u> a melon.   skill 58

⇨

16 He is <u>one of the richest men</u> in this town.   skill 60

⇨

17 My mother is <u>busier than</u> my father.   skill 58

⇨

18 She is <u>more famous</u> as a writer <u>than</u> as a singer.   skill 58

⇨

19 I don't eat as <u>much as</u> before.   skill 57

⇨

20 The Mississippi is <u>one of the longest rivers</u> in the world.   skill 60

⇨

Memo

Memo

Memo

Memo

Memo

Memo

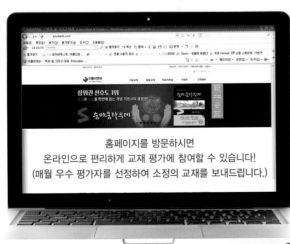

이룸이앤비의 특별한 중등 국어교재 시리즈

숨마 주니어® 중학국어 **어휘력** 시리즈

중학교 국어 실력을 완성시키는 **국어 어휘 기본서** (전 3권)

- 중학국어 **어휘력** ❶
- 중학국어 **어휘력** ❷
- 중학국어 **어휘력** ❸

숨마 주니어® 중학국어 **비문학 독해 연습** 시리즈

모든 공부의 기본! 글 읽기 능력을 향상시키는
국어 비문학 독해 기본서 (전 3권)

- 중학국어 **비문학 독해 연습** ❶
- 중학국어 **비문학 독해 연습** ❷
- 중학국어 **비문학 독해 연습** ❸

숨마 주니어® 중학국어 **문법 연습** 시리즈

중학국어 **주요 교과서 종합!**
중학생이 꼭 알아야 할 **필수 문법서** (전 2권)

- 중학국어 **문법 연습 1** 기본
- 중학국어 **문법 연습 2** 심화

60개 패턴으로 독해의 기본을 잡는

숨마 주니어®

중학 영어

문장 해석 연습

1

정답 및 해설

숨마 주니어 ®

중학 영어

문장
해석
연습 ①

정답 및 해설

01 문장의 틀

○ 본문 18쪽

skill 01

1 The sun / 태양이 밝게 빛난다.
2 The baby / 아기가 밤새 울었다.
3 My grandfather / 나의 할아버지는 천천히 걸으신다.
4 Jina / 지나는 항상 미소 짓는다.
5 The mall clerks / 그 쇼핑몰 직원들은 10시부터 7시까지 일한다.

어법 Quiz

A 답 a map
벽에 지도가 있다.
B 답 oranges
바구니 안에 오렌지가 있다.
○ 「There+be동사+주어(+수식어구)」 구문에서 주어는 be동사 뒤에 온다.

skill 02
○ 본문 19쪽

1 baseball / 내가 가장 좋아하는 운동은 야구이다.
2 still / 모두가 가만히 있었다.
3 quiet / 교장 선생님 앞에서 모든 학생들이 침묵을 유지했다.
4 a great inventor / 에디슨은 위대한 발명가였다.
5 gray / 나이가 들어 그녀의 머리는 백발이 되었다.

어법 Quiz

A 답 delicious
치킨 수프에서 맛있는 냄새가 난다.
B 답 smooth
비단은 촉감이 부드럽다.
○ smell(~하게 냄새가 나다), feel(~하게 느껴지다)과 같은 감각동사는 보어로 형용사를 취한다.

skill 03
○ 본문 20쪽

1 glasses / 나의 아버지는 안경을 쓰신다.
2 the drums / 수호는 밴드에서 드럼을 친다.
3 a call / 나는 그에게서 전화를 받았다.
4 my old computer / 그 수리공은 내 오래된 컴퓨터를 고쳤다.
5 the bus / 사람들이 버스 정류장에서 버스를 기다린다.

어법 Quiz

A 답 to play
대부분의 소년들은 컴퓨터 게임하는 것을 좋아한다.
○ to부정사는 목적어로 쓰일 수 있다.
B 답 Riding
자전거를 타는 것은 재미있다.
○ 동명사는 주어로 쓰일 수 있다.

skill 04
○ 본문 21쪽

1 간접목적어 him, 직접목적어 some pills / 보건교사는 그에게 알약을 주었다.
2 간접목적어 me, 직접목적어 interesting stories / 나의 할머니는 항상 나에게 재미있는 이야기를 해주신다.
3 간접목적어 the guests, 직접목적어 delicious food / 그 여주인은 손님들에게 맛있는 음식을 해주었다.
4 간접목적어 Lisa, 직접목적어 a book / 나는 Lisa에게 생일 선물로 책을 한 권 사주었다.
5 간접목적어 them, 직접목적어 a few questions / 경찰관은 그들에게 몇 가지 질문을 했다.

어법 Quiz

A 답 to
그 신사는 나에게 길을 알려주었다.
○ show가 쓰인 문장은 전치사 to를 이용하여 4형식을 3형식으로 변환할 수 있다.
B 답 for
아빠는 나에게 연을 만들어주셨다.
○ make가 쓰인 문장은 전치사 for를 이용하여 4형식을 3형식으로 변환할 수 있다.

skill 05
○ 본문 22쪽

1 목적어 my cat, 목적격 보어 Tom / 나는 나의 고양이를 Tom이라고 이름 지었다.
2 목적어 the world, 목적격 보어 a good place / 친절은 세상을 더 좋은 곳으로 만든다.
3 목적어 me, 목적격 보어 a responsible person / 나의 학급 친구들은 나를 책임감 있는 사람으로 생각한다.
4 목적어 everyone in the room, 목적격 보어 quiet / 그 나쁜 소식은 방 안의 모든 사람들을 침묵시켰다.
5 목적어 him, 목적격 보어 very rich / 나는 그가 매우 부자라는 것을 알게 되었다.

어법·Quiz

A 답 4형식

수지의 아버지는 그녀에게 그네를 만들어주었다.

▶ her≠a swing이므로 「주어＋동사＋간접목적어＋직접목적어」 형태의 4형식 문장이다.

B 답 5형식

많은 노력이 수지를 위대한 가수로 만들어주었다.

▶ Suji＝a great singer이므로 「주어＋동사＋목적어＋목적격 보어」 형태의 5형식 문장이다.

skill 06
◎ 본문 23쪽

1 to succeed / 나는 네가 성공하기를 바란다.

2 to quit smoking / 의사는 나의 아버지에게 담배를 끊으라고 말했다.

3 to win the game / 아무도 그 팀이 이길 거라고 예상하지 못했다.

4 to read more books / 선생님께서는 우리에게 책을 더 많이 읽으라고 충고하셨다.

5 move the furniture / 내가 가구 옮기는 것을 도와주겠니?

어법·Quiz

A 답 stand

체육선생님은 학생들이 가만히 서있도록 시키셨다.

▶ 사역동사는 목적격 보어로 동사원형을 취한다.

B 답 enter

나는 그가 건물에 들어가는 것을 보았다.

▶ 지각동사는 목적격 보어로 동사원형을 취한다.

CHAPTER 01 Exercise
본문 24쪽

A 01 fall   02 red   03 looked at   04 me
   05 to join

B 01 ⓐ   02 ⓑ   03 ⓐ   04 ⓑ   05 ⓐ
   06 ⓑ   07 ⓐ   08 ⓑ   09 ⓑ   10 ⓐ

C 01 a cook (C) / 요리사이다
   02 pretty and kind (C) / 예쁘고 친절하다
   03 my homework (O) / 숙제를 5시까지 끝낼 것이다
   04 me (O), new sneakers (O) / 새 운동화를 사주셨다
   05 him (O), honest (C) / 정직하다고 생각한다

D 01 Banks close on weekends.
   02 The chocolate cake tasted too sweet.
   03 We look for lots of information on the Internet.

04 She showed me her new cell phone.
05 My teacher told me to review every day.

A

01 잎들은 가을에 떨어진다.

▶ 목적어나 보어 없이 혼자 쓰이는 동사는 turn이 아니라 fall이다.

02 분노로 그의 얼굴이 붉어졌다.

▶ 주격 보어로는 부사가 아닌 형용사가 온다.

03 우리는 하늘에 떠있는 별들을 보았다.

▶ 뒤에 목적어가 나오므로 look(~하게 보이다)이 아닌 look at(~을 보다)이 알맞다.

04 나에게 돈을 좀 빌려줄 수 있나요?

▶ 간접목적어 자리이므로 목적격 대명사가 와야 한다.

05 엄마는 내가 여름 캠프에 참가하도록 허락하셨다.

▶ 5형식 문장에서 want, allow, tell, advise, ask, order 등의 동사가 사용될 경우, 목적격 보어로 to부정사를 쓴다.

B

01 그 남자는 밤사이에 유명해졌다.

02 나는 매일 아침 사과를 하나 먹는다.

03 너는 나를 Dorothy라 부르면 된다.

04 그 사진[그림]은 아기를 웃게 만들었다.

05 모차르트는 위대한 음악가이다.

06 나를 좀 도와주세요.

07 내가 너에게 재미있는 이야기를 해줄게.

08 그녀는 나에게 긴 편지를 썼다.

09 그는 그의 여동생에게 인형을 사 주었다.

10 그녀에게 이메일을 보내는 게 어떠니?

CHAPTER 02 문장의 종류

skill 07
◎ 본문 28쪽

1 제가 당신의 첫 번째 손님인가요?

2 너는 학교에서 치어리더였니?

3 학생들은 지금 강당에 있나요?

4 유라는 음악에 관심이 있니?

5 A: 서비스가 좋지 않았니?   B: 아니, 좋았어.

어법 Quiz

A 답 Yes, I am.

M: 너는 배가 고프니? W: 응, 배고파.

B 답 No, it wasn't.

M: 시험이 어려웠니? W: 아니, 그렇지 않았어.

◎ be동사 의문문에 대답할 때, 긍정의 대답일 경우 「Yes, 주어+be동사.」로, 부정의 대답일 경우 「No, 주어+be동사+not.」으로 나타낸다.

---

skill 08   ◎ 본문 29쪽

1 그들은 같은 학교에 다니니?
2 그녀는 너희 동네에 사니?
3 너는 일본 여행을 즐겼니?
4 우리에게 더 많은 건전지가 필요하니?
5 M: 너는 일기예보를 듣지 못했니? W: 응, 못 들었어.

어법 Quiz

A 답 Yes, I do.

M: 너는 네 부모님을 사랑하니? W: 응, 사랑해.

◎ 말하는 이가 「Do you ~?」라고 물었을 때, 듣는 이는 「Yes, I do.」나 「No, I don't.」로 대답해야 한다.

B 답 No, you didn't.

M: 내가 뭔가를 놓쳤니? B: 아니, 놓치지 않았어.

◎ do 의문문에 대답할 때, 부정의 대답일 경우 「No, 주어+don't/doesn't[didn't].」로 나타낸다.

---

skill 09   ◎ 본문 30쪽

1 Who / 누가 전화기를 발명했니?
2 Which / 너는 어떤 가방을 샀니?
3 Where / 너는 어디에서 네 귀걸이를 찾았니?
4 How / 너는 얼마나 자주 샤워를 하니?
5 Why / 너는 왜 나를 깨우지 않았니?

어법 Quiz

A 답 Next Friday.

M: 운동회 날은 언제니? W: 다음 주 금요일이야.

◎ 의문사 When을 사용한 의문문에는 시간이나 날짜에 관한 구체적인 답을 해야 한다.

B 답 Fine, thanks.

M: 어떻게 지내니? W: 덕분에 잘 지내요.

◎ 의문사 How를 사용한 의문문에는 방법이나 상태에 관한 구체적인 답을 해야 한다.

---

skill 10   ◎ 본문 31쪽

1 Finish / 십 분 내에 그 일을 끝내라.
2 skip / 아침식사를 거르지 마라.
3 Take / 엘리베이터 대신에 계단을 이용해라.
4 be / 결코 실패를 두려워하지 마라.
5 return / 지금 당장 자리로 돌아가시기 바랍니다.

어법 Quiz

A 답 you

잠시만 네 휴대전화를 빌려줘, 그래줄래?

B 답 will

현장학습에 늦지 마세요, 그래줄래요?

◎ 명령문 뒤에 「~, will you?」를 붙여 상대의 동의나 확인을 구할 수 있다.

---

skill 11   ◎ 본문 32쪽

1 덜 먹어라, 그러면 너는 체중이 줄 것이다.
2 절대로 수영장 근처에서 뛰지 마라, 그렇지 않으면 너는 넘어질 것이다.
3 남들에게 친절해라, 그러면 그들도 너에게 친절할 것이다.
4 서둘러라, 그렇지 않으면 너는 스쿨버스를 놓칠 것이다.
5 거짓말을 하지 마라, 그렇지 않으면 사람들은 너를 신뢰하지 않을 것이다.

어법 Quiz

A 답 and

만약 네가 헬멧을 쓰면, 너는 안전할 것이다.
= 헬멧을 써라, 그러면 너는 안전할 것이다.

B 답 or

만약 네가 지금 집에 가지 않으면, 그들은 걱정할 것이다.
= 지금 집에 가라, 그렇지 않으면 그들은 걱정할 것이다.

◎ 「명령문, and[or] ~」는 조건의 접속사 if를 이용해 바꿔 쓸 수 있다.

---

skill 12   ◎ 본문 33쪽

1 그것은 정말 멋진 생각이구나!
2 (그것은) 정말 재미있는 이야기구나!
3 우리는 얼마나 놀라운 세상에 살고 있는가!
4 이것들은 참 화려한 액세서리이구나!
5 그녀는 정말 긴 머리카락을 가지고 있구나!

어법 Quiz

A 답 delicious cookies

그것들은 참 맛있는 쿠키이구나!

B 답 useful information

그것은 참 유용한 정보구나!

⊙ 복수명사나 셀 수 없는 명사가 쓰인 경우 What 뒤에 부정관사 a나 an을 쓰지 않는다.

---

skill 13 ⊙ 본문 34쪽

1 (그녀는) 참 사랑스럽구나!

2 그 주자는 정말 빠르게 달리는구나!

3 그 코미디언은 참 재미있구나!

4 그 인형들은 참 귀엽구나!

5 그 아기는 정말 깊이 자는구나!

어법 Quiz

A 답 How

그 다리는 참 길구나!

⊙ 「형용사＋주어＋동사」의 어순이고 느낌표로 끝나므로, How로 시작하는 감탄문이 되어야 한다.

B 답 How

그들이 얼마나 크게 소리쳤던지!

⊙ 「부사＋주어＋동사」의 어순이고 느낌표로 끝나므로, How로 시작하는 감탄문이 되어야 한다.

---

skill 14 ⊙ 본문 35쪽

1 isn't he? / Tommy는 너의 형[오빠/남동생]이지, 그렇지 않니?

2 doesn't he? / 그는 이 회사에 속해 있지, 그렇지 않니?

3 aren't you? / 수진이와 너는 같은 학급이지, 그렇지 않니?

4 didn't they? / 그들은 어제 등산하러 갔어, 그렇지 않니?

5 weren't you? / 너는 내게 화가 났었어, 그렇지 않니?

어법 Quiz

A 답 isn't

소라는 너의 가장 친한 친구지, 그렇지 않니?

⊙ be동사를 이용한 문장 뒤에 이어지는 부가의문문은 be동사를 이용해 만든다.

B 답 didn't

너는 일찍 일어났지, 그렇지 않니?

⊙ 일반동사를 이용한 문장 뒤에 이어지는 부가의문문은 do/does[did]를 이용해 만든다.

---

skill 15 ⊙ 본문 36쪽

1 did I? / 나는 네게 돈을 갚지 않았어, 그렇지?

2 does he? / Charlie는 밝은 색을 좋아하지 않아, 그렇지?

3 are they? / 그들은 너희 나라에서는 인기가 없어, 그렇지?

4 is it? / 이 컴퓨터는 잘 작동하고 있지 않아, 그렇지?

5 will you? / 어떠한 소리도 내지 마(시끄럽게 하지 마), 그래 줄래?

어법 Quiz

A 답 shall

우리 쇼핑하러 가자, 어때?

B 답 shall

우리 거기에 가지 말자, 어때?

⊙ Let's로 시작하는 문장의 부가의문문은 'shall we?'이다.

CHAPTER 02 Exercise 본문 37쪽

A 01 No 02 Where 03 Be 04 or 05 What

B 01 ⓑ 02 ⓑ 03 ⓐ 04 ⓑ 05 ⓐ

C 01 Are, am / A: 피곤하니 B: 응, 피곤해

02 are / 멋진 선글라스를 쓰고 있구나

03 be, do / 그러면 너는 잘할 거야

04 is, isn't / 결석을 했지, 그렇지 않니

D 01 Who won first place in the contest?

02 Close the window, or the floor will get wet.

03 How comfortable the sofa is!

04 You don't agree with me, do you?

A

01 A: 너는 지루하지 않니? B: 응, 지루하지 않아.

⊙ 부정의문문에 답할 때도 대답의 내용이 부정이면 No로 대답한다. 우리말로는 '응'이라고 해석되므로 유의한다.

02 너의 고향은 어디니?

⊙ '어디'라는 뜻의 의문사 Where가 들어가야 한다.

03 어르신들께 예의를 지켜라.

⊙ 뒤에 형용사 보어가 이어지므로, be동사로 시작하는 명령문이 되어야 한다.

04 선생님 말씀을 주의 깊게 들어라, 그렇지 않으면 선생님이 화내실 것이다.

⊙ '～해라, 그렇지 않으면 …'의 뜻이 되어야 하므로, or가 알맞다.

05 그는 정말 비싼 차를 가지고 있구나!

⊙ an expensive car를 강조하는 감탄문이므로, What이 알맞다.

B
01 너는 약간의 도움이 필요하지 않니?
02 미술관에서는 사진을 찍지 마라.
03 그는 그 일을 정말 잘하는구나!
04 너는 지금 시간이 있니?
05 당신은 자녀와 무슨 활동을 하십니까?

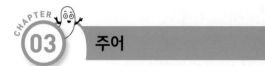

CHAPTER
03 주어

skill 16   ⊙ 본문 40쪽

1 Mary / Mary는 지금 학교에 있다.
2 We / 우리는 사과나무를 심었다.
3 It / 그것은 처음에는 약간 아프다.
4 These / 이것들은 매우 편안하게 보인다.
5 One, the other / 하나는 검정색이고 다른 하나는 흰색이다.

어법 Quiz

A 답 lies
행복은 당신의 마음속에 있다.
B 답 is
이 물은 맑고 차갑다.
○ 셀 수 없는 명사는 단수 취급하므로, 뒤에 단수 동사가 와야 한다.

skill 17   ⊙ 본문 41쪽

1 a lot of water / 바다에는 많은 물이 있다.
2 a stranger / 내 집 앞에 낯선 사람이 있었다.
3 four people / 탁자 주위에 네 명의 사람들이 있다.
4 many stars / 오늘 밤에는 별이 많지 않다.
5 any deer / 숲 속에는 사슴이 전혀 없었다.

어법 Quiz

A 답 is
이 근처에 영화관이 있다.
○ 주어가 a movie theater로 단수이므로, 단수 동사 is가 와야 한다.
B 답 aren't

저 가게에는 손님이 많지 않다.
○ 주어가 many customers로 복수이므로, 복수 동사 are 가 와야 한다.

skill 18   ⊙ 본문 42쪽

1 한 시간에 5달러이다.
2 월요일 아침이었다.
3 버스로 약 10분이 걸린다.
4 방 안이 밝다.
5 이곳은 몹시 시끄럽다.

어법 Quiz

A 답 대명사
그것은 1층에 있다.
○ '그것'으로 해석되므로, It은 대명사이다.
B 답 비인칭 주어
지금은 여름이다.
○ It에 의미가 없고 계절을 나타내는 문장이므로, It은 비인칭 주어이다.

skill 19   ⊙ 본문 43쪽

1 Learning English / 영어를 배우는 것은 재미있다.
2 Finishing the work / 그 일을 끝내는 것은 불가능했다.
3 Cleaning the house / 집을 청소하는 것은 많은 시간이 걸린다.
4 Never telling a lie / 절대 거짓말을 하지 않는 것이 나의 좌우명이다.
5 Eating at night / 밤에 먹는 것은 당신을 살찌게 만든다.

어법 Quiz

A 답 is
새로운 친구들을 사귀는 것은 쉽지 않다.
B 답 costs
차를 사는 것은 많은 돈이 든다.
○ 동명사(구) 주어는 항상 단수로 취급하므로, 뒤에 단수 동사가 와야 한다.

skill 20   ⊙ 본문 44쪽

1 To write a poem / 시를 쓰는 것은 어렵다.
2 To travel around the country / 그 나라 곳곳을 여행하는 것이 나의 계획이다.
3 To help people in need / 어려움에 처한 사람들을 돕는 것

은 중요하다.
4 To clean your room / 네 방을 청소하는 것은 힘든 일이 아니다.
5 Not to use bad language / 나쁜 말을 사용하지 않는 것이 필수적이다.

어법 Quiz

A 답 is
사탕을 많이 먹는 것은 네 치아에 좋지 않다.

B 답 makes
책을 읽는 것은 당신을 똑똑하게 만든다.
◑ to부정사(구) 주어는 항상 단수로 취급하므로, 뒤에 단수 동사가 와야 한다.

CHAPTER 03 Exercise   본문 45쪽

A 01 doesn't   02 was   03 It   04 Shopping
  05 is
B 01 ⓑ   02 ⓐ   03 ⓑ   04 ⓐ   05 ⓐ
C 01 a flower / 꽃이 없다
  02 It / 여기에서, (거리가) 멀다
  03 Being a cheerleader / 되는 것은 내 꿈이다
  04 To take pictures / 찍는 것은 나의 취미이다
D 01 Some are very good at skiing.
  02 There are many different jobs in the world.
  03 Making money is difficult, but spending money is easy.
  04 To bite your nails is a bad habit.

A
01 사랑은 영원히 지속되지는 않는다.
  ◑ 주어가 Love로 셀 수 없는 명사이므로, 단수 동사 does를 써야 한다.
02 공기 중에 상한 생선 냄새가 났다.
  ◑ 주어가 the smell of rotten fish로 단수이므로, 단수 동사 was를 써야 한다.
03 7월 7일이다.
  ◑ 날짜를 나타내는 문장이므로, 비인칭 주어 It을 써야 한다.
04 온라인에서 물건을 사는 것은 편리하다.
  ◑ 주어 자리에 올 수 있는 것은 동사가 아니라 동명사이다.
05 5킬로그램을 감량하는 것이 나의 목표이다.
  ◑ to부정사(구) 주어는 항상 단수로 취급하므로, 단수 동사 is가 와야 한다.

B
01 밖이 여전히 화창하다.
02 그것은 멋진 건물이다.
03 오늘은 너무 덥다.
04 그것은 거북이처럼 보인다.
05 그곳은 붐비는 지역이다.

CHAPTER 04 목적어

skill 21   ◑ 본문 48쪽

1 many chickens / 그 농부는 많은 닭들을 갖고 있다.
2 us / 경찰관들은 우리를 보호한다.
3 the wrong one / 두 개의 길 사이에서 나는 잘못된 것(길)을 택했다.
4 this, another / 나는 이것이 마음에 들지 않아요. 제게 다른 것을 보여주세요.
5 others / 그는 다른 사람들을 존중으로 대한다.

어법 Quiz

A 답 one
나는 내 가방을 잃어버렸다. 나는 또 하나를 사야 한다.
  ◑ one은 앞에 나온 명사를 대신할 때 쓴다. 단수 명사 bag을 대신하는 말로 one이 알맞다.

B 답 ones
나에게 두 개의 빨간 펜과 세 개의 파란 펜을 주세요.
  ◑ 복수 명사 pens를 대신하는 말로 ones가 알맞다.

skill 22   ◑ 본문 49쪽

1 yourself / 너는 우선 너 자신을 믿어야 한다.
2 themselves / 아이들은 울타리 뒤에 그들 자신을 숨겼다.
3 ourselves / 우리는 여러 가지 방법으로 우리 자신을 표현한다.
4 herself / 그녀는 그녀 자신을 새로운 직업에 적응시켰다.
5 myself / 나는 혼자 힘으로 해답을 찾아냈다.

어법 Quiz

A 답 강조 용법
내가 직접 그 케이크를 만들었다.

○ 재귀대명사의 생략이 가능하고 강조하기 위해 쓰였으므로 강조 용법이다.
B 답 재귀 용법
나는 혼잣말을 했다, "내가 해냈어!"
○ 재귀대명사가 동사 told의 목적어로 쓰였으므로 재귀 용법이다.

skill 23 ○ 본문 50쪽

1 그의 말은 큰 구멍 안으로 빠졌다.
2 나는 그와 방을 같이 썼다.
3 손님들은 자신들의 선물을 소파 위에 놓았다.
4 아이들은 컴퓨터 게임에 열광한다.
5 햄스터는 후각을 사용하여 먹이를 찾는다.

어법 Quiz

A 답 studying
나는 대학에서 음악을 공부하는 것에 대해 생각 중이다.
B 답 ordering
우리는 피자를 주문하는 것에 관해 이야기했다.
○ 전치사의 목적어로는 동명사가 올 수 있다. 동사원형이나 to부정사는 전치사의 목적어가 될 수 없다.

skill 24 ○ 본문 51쪽

1 following your dreams / 너의 꿈을 따르는 것을 절대로 포기하지 마라.
2 turning down the music / 나는 음악 소리를 줄이는 것을 신경 쓰지 않는다.
3 writing her report / Laura는 오늘 밤에 보고서를 쓰는 것을 끝냈다.
4 speaking English / 그녀는 매일 영어를 말하는 것을 연습한다.
5 smoking / 그는 친구들의 도움으로 담배 피우는 것을 그만두었다.

어법 Quiz

A 답 going
어두워진 후에는 밖으로 나가는 것을 피해라.
B 답 practicing
축구 연습을 계속해서 훌륭한 축구 선수가 되어라!
○ 동사 avoid와 keep의 목적어로는 to부정사가 아닌 동명사가 온다.

skill 25 ○ 본문 52쪽

1 to talk about it / 나는 그것에 대해 더 이상 이야기하는 것을 원하지 않는다.
2 to read one book a week / Henry는 일주일에 한 권의 책을 읽는 것을 계획했다.
3 to wash her father's car every Sunday / 그녀는 매주 일요일마다 아버지의 차를 세차하기로 약속했다.
4 to build a factory in this town / 그들은 이 마을에 공장을 세우기로 결정했다.
5 to speak to the manager / 나는 관리자와 이야기하기 바랍니다.

어법 Quiz

A 답 to make
나는 올해 새로운 친구들을 사귀기를 기대한다.
B 답 to arrive
우리는 한 시간 안에 그곳에 도착할 필요가 있다.
○ 동사 expect와 need의 목적어로는 동명사가 아닌 to부정사가 온다.

CHAPTER 04 **Exercise** 본문 53쪽

A 01 them 02 yourself 03 knocking 04 singing
  05 to live
B 01 ⓐ 02 ⓑ 03 ⓑ 04 ⓐ 05 ⓑ
C 01 myself / 수건으로 나 자신을 감쌌다
  02 the game / 그 단추를 누름으로써 게임을
  03 moving / 모든 사람들이 움직임을 멈추었다
  04 to eat out / 외식하기를 원하니
D 01 Don't judge others too quickly.
  02 We cooled ourselves with cold water.
  03 He didn't give up singing on stage.
  04 They agreed to follow the decision.

A
01 너는 그것을 믿을 수가 있겠니? 우리가 그들을 이겼어!
  ○ 목적어 자리이므로 목적격 인칭대명사가 와야 한다.
02 너 자신을 비난하지 마. 그건 네 잘못이 아니야.
  ○ '~자신'이라는 뜻을 가진 재귀대명사가 알맞다.
03 Robert는 계속 문을 두드렸다.
  ○ 동사 keep은 목적어로 동명사를 취한다.
04 미나는 팝송을 부르는 것을 잘한다.
  ○ 전치사 at의 목적어이므로 동명사가 알맞다.
05 많은 사람들이 장수하기를 바란다.

◎ 동사 wish는 목적어로 to부정사를 취한다.

B
01 너는 너 자신을 사랑해야 한다.
02 음식 자체는 훌륭했으나, 서비스가 형편없었다.
03 그녀는 그 소식을 내게 직접 말해주었다.
04 너희 모두는 축제에서 즐거운 시간을 보냈니?
05 나의 할머니께서 직접 그 스웨터를 짜셨다.

CHAPTER 05 보어

◎ 본문 56쪽

skill 26

1 a good singer / 유미는 훌륭한 가수이다.
2 the leader of our team / Bill은 우리 팀의 주장이다.
3 classmates / Andy와 나는 올해에 반 친구가 되었다.
4 Dancing Queen / 그녀의 별명은 춤의 여왕이다.
5 my favorite season / 가을은 내가 가장 좋아하는 계절이다.

어법 Quiz

A 답 me
M: 누구신가요? W: 나야.

B 답 him
우승자는 그였다.
◎ 주격 보어로 대명사가 올 때에는 주격이나 목적격이 모두 가능하나, 일반적으로는 목적격을 쓴다.

skill 27
◎ 본문 57쪽

1 red and yellow / 나무의 잎들이 빨갛고 노랗게 되었다.
2 angry / 나의 언니는 쉽게 화를 낸다.
3 strong and healthy / 당신의 아기가 튼튼하고 건강하게 자라길 바랍니다.
4 bad / 냉장고의 우유는 상했다.
5 unreal / 비현실적으로 들릴 지도 모르지만, 그것은 사실이다.

어법 Quiz

A 답 nice
새로운 티셔츠가 너에게 잘 어울린다.

B 답 great

신선한 공기 속에서 우리는 매우 기분이 좋았다.
◎ 감각동사는 보어로 형용사를 취한다.

skill 28
◎ 본문 58쪽

1 to be a tour guide / 그녀의 꿈은 여행 가이드가 되는 것이다.
2 to see you again / 나의 소망은 너를 다시 보는것이다.
3 to repair cars / 나의 아버지의 직업은 차를 고치는 것이다.
4 to travel around the country by bike / 그들의 계획은 자전거로 전국을 여행하는 것이다.
5 not to give up the race / 그의 목표는 경주를 포기하지 않는 것이다.

어법 Quiz

A 답 to wash
너는 식사를 하기 전에 손을 씻어야 한다.
◎ to부정사의 형용사적 용법으로 의무의 뜻을 가진다.

B 답 to meet
우리는 2시에 만날 예정이다.
◎ to부정사의 형용사적 용법으로 예정의 뜻을 가진다.

skill 29
◎ 본문 59쪽

1 fishing in a lake / 그의 취미는 호수에서 낚시를 하는 것이다.
2 giving a surprise party to our parents / 우리의 계획은 부모님께 깜짝 파티를 해드리는 것이다.
3 going to school / 너의 의무 중 하나는 학교에 가는 것이다.
4 reviewing every day / 좋은 성적을 받는 비결은 매일 복습을 하는 것이다.
5 not spending time together / 그들의 문제는 함께 시간을 보내지 않는 것이다.

어법 Quiz

A 답 동명사
나의 취미는 자전거를 타는 것이다.
◎ 주격 보어로 쓰인 동명사이다.

B 답 현재분사
한 소년이 자전거를 타고 있다.
◎ 현재진행형 시제에 쓰인 현재분사이다.

skill 30
◎ 본문 60쪽

1 Yuchan / 그 부부는 그들의 아들을 유찬이라 이름 지었다.
2 a great pianist / 그녀는 그녀의 딸을 위대한 피아니스트로

만들었다.

3 a funny person / 내 친구들은 나를 웃긴 사람이라고 생각한다.

4 our class leader / 우리는 그를 우리의 학급 회장으로 선출했다.

5 a global village / 통신 (기술)의 발전은 세계를 국제적인 마을로 만들었다.

어법 Quiz

A 답 목적격 보어
인내심은 너를 더 나은 사람으로 만든다.
◎ 「주어＋동사＋목적어＋목적격 보어」의 5형식 문장이다.

B 답 직접목적어
엄마는 종종 나에게 맛있는 쿠키를 만들어주신다.
◎ 「주어＋동사＋간접목적어＋직접목적어」의 4형식 문장이다.

---

skill 31 ◎ 본문 61쪽

1 open / 나는 문을 열어두었다.

2 angry / John은 그의 수학 선생님을 화나게 했다.

3 interesting / 그 영화는 재미있었니?

4 green / 벽을 초록색으로 칠하는 게 어떠니?

5 beautiful / 사람들은 벚꽃이 아름답다고 생각한다.

어법 Quiz

A 답 healthy
충분한 잠은 우리 피부를 건강하게 해준다.

B 답 difficult
많은 학생들이 수학이 어렵다고 생각한다.
◎ 목적격 보어가 목적어를 보충 설명하므로 목적격 보어는 형용사가 되어야 한다.

---

skill 32 ◎ 본문 62쪽

1 그는 나에게 침착하다고 말했다.

2 노부인은 나에게 그녀의 여행 가방을 들어달라고 부탁했다.

3 나의 아버지는 나에게 정직하라고 가르치셨다.

4 좋은 날씨가 우리로 하여금 여행을 즐기게 허락해주었다.

5 그의 부모님은 그가 유명한 수영선수가 되기를 기대했다.

어법 Quiz

A 답 clean
엄마는 내가 방을 청소하도록 시키셨다.

B 답 shake
너는 건물이 흔들리는 것을 느꼈니?
◎ 동사로 사역동사나 지각동사가 오면 목적격 보어로 동사 원형을 쓴다.

CHAPTER 05 Exercise 본문 68쪽

A 01 feelings   02 delicious   03 to speak
   04 an angel   05 to sleep

B 01 ⓐ   02 ⓑ   03 ⓐ   04 ⓑ   05 ⓑ

C 01 a world-famous figure skater / 피겨 스케이팅 선수이다
   02 good, too salty / 냄새는 좋았으나, 너무 짠 맛이 났다
   03 drinking lots of water / 물을 많이 마시는 것이다
   04 a living saint / 살아있는 성인으로

D 01 Hip-hop became my favorite music genre.
   02 The solution was to create a new team.
   03 Seat belts keep passengers safe.
   04 I taught myself to swim.

A
01 사랑과 증오는 매우 강렬한 감정이다.
   ◎ 주어와 동격 관계를 가진 주격 보어이므로 명사가 되어야 한다. (love and hatred = strong feelings)
02 빵은 너무 맛있는 냄새가 났다.
   ◎ smell(~한 냄새가 나다)과 같은 감각동사는 보어로 형용사를 취한다.
03 내 목표는 영어를 유창하게 말하는 것이다.
   ◎ 주격 보어가 될 수 있는 것은 동사가 아닌 to부정사이다.
04 모두가 그녀를 천사라고 부른다.
   ◎ 명사가 목적격 보어인 경우 「목적어 = 목적격 보어」의 관계가 된다.
05 나의 부모님은 내가 남의 집에서 자고 오는 것을 허락하지않으셨다.
   ◎ allow는 목적격 보어로 to부정사를 취한다.

B
01 오늘은 나의 생일이다.
02 그녀는 그 보석상자가 비어 있는 것을 발견했다.
03 그의 꿈은 컴퓨터 프로그래머가 되는 것이다.
04 나는 그녀의 빰을 따라 눈물이 떨어지는 것을 보았다.
05 그녀의 노력이 그녀의 아들을 위대한 학자로 만들었다.

CHAPTER 06 시제

skill 33   ○ 본문 66쪽

1 그는 모든 운동을 잘한다.
2 은행은 아침 9시에 연다.
3 Tom은 자주 다리를 떤다.
4 좋은 습관은 모두에게 중요하다.
5 해는 서쪽으로 진다.

어법 Quiz

A 답 watches
나의 아버지는 오후 8시에 뉴스를 보신다.
○ watch는 -ch로 끝나는 동사이므로, -es를 붙여 3인칭 단수형을 만든다.

B 답 has
거미는 8개의 다리를 가지고 있다.
○ 동사 have의 3인칭 단수형은 has이다.

skill 34   ○ 본문 67쪽

1 내 호주머니에는 돈이 없었다.
2 나의 가족은 새집으로 이사 왔다.
3 세종대왕은 한글을 발명했다.
4 너는 지난밤에 집에 없었어.
5 Columbus는 1492년에 아메리카를 발견했다.

어법 Quiz

A 답 stopped
버스가 버스 정류장에서 멈췄다.
○ stop은 「단모음+단자음」으로 끝나는 동사이므로, 끝자음을 한 번 더 쓰고 -ed를 붙여 과거형을 만든다.

B 답 came
엄마는 어제 집에 늦게 오셨다.
○ come은 과거형이 불규칙적으로 변화하는 동사로, come의 과거형은 came이다.

skill 35   ○ 본문 68쪽

1 Julie는 지금 이를 닦는 중이다.
2 소년들은 체육관에서 농구를 하고 있다.
3 당신은 여기서 누군가를 기다리는 중인가요?

4 내 여동생은 모자를 쓰고 있지 않다.
5 나는 아내와 아침식사를 먹고 있다.

어법 Quiz

A 답 lying
몇몇 사람들이 잔디 위에 누워 있다.
○ lie는 -ie로 끝나는 동사이므로, ie를 y로 바꾸고 -ing를 붙여 「동사-ing」 형태로 만든다.

B 답 running
아이들이 운동장에서 달리고 있다.
○ run은 「단모음+단자음」으로 끝나는 동사이므로, 끝자음을 한 번 더 쓰고 -ing를 붙여 「동사-ing」 형태로 만든다.

skill 36   ○ 본문 69쪽

1 밖에는 눈이 내리고 있었다.
2 나는 지난밤에 가방을 챙기고 있었다.
3 그녀가 전화 통화를 하고 있었니?
4 그들은 벽에 몇 개의 그림을 그리는 중이었다.
5 나의 아버지는 그때 운전하고 계시지 않았다.

어법 Quiz

A 답 liked
그녀는 한국의 대중음악을 좋아했다.

B 답 knew
John은 진실을 알고 있었다.
○ like와 know는 감정·상태를 나타내는 동사이므로, 진행형으로 쓸 수 없다.

CHAPTER 06 Exercise   본문 70쪽

A 01 goes   02 bites   03 ended   04 writing
   05 were
B 01 ⓐ   02 ⓑ   03 ⓐ   04 ⓐ   05 ⓑ
   06 ⓐ   07 ⓑ   08 ⓑ   09 ⓑ   10 ⓐ
C 01 goes / 때때로 여행을 간다
   02 bought / 어제 신발 한 켤레를 샀다
   03 is taking off / 이륙하고 있다
   04 were having / 해변에서 즐거운 시간을 보내고 있었다
   05 was studying, visited / 공부하는 중이었다
D 01 Plants grow quickly in a rain forest.

02 Korea held the Olympics in 1988.
03 I am going to the hospital now.
04 He is taking a shower with cold water.
05 She was having a hard time at that time.

A
01 인호는 보통 오전 8시에 학교에 간다.
- go는 -o로 끝나는 동사이므로, -es를 붙여 3인칭 단수형을 만든다.
02 짖는 개는 절대 물지 않는다.
- 주어가 A barking dog로 3인칭 단수이므로, 일반동사에 -(e)s를 붙인다.
03 제2차 세계대전은 1945년에 끝났다.
- 역사적인 사실은 과거시제로 표현한다.
04 나는 지금 보고서를 쓰고 있다.
- 동사에 -ing를 붙일 때, 동사가 -e로 끝나는 경우 e를 빼고 -ing를 붙인다.
05 우리는 그때 회의를 하고 있었다.
- then(그때)이라는 과거를 나타내는 부사가 있으므로, 현재진행형이 아닌 과거진행형으로 써야 한다.

B
01 나는 지금 배고프고 졸리다.
02 Graham Bell은 전화기를 발명했다.
03 지구는 태양 주위를 돈다.
04 미나는 매일 저녁에 개를 산책시킨다.
05 지난주에 지진이 있었다.
06 나의 아버지는 지금 신문을 읽고 계신다.
07 Sam이 도착했을 때 우리는 저녁을 먹고 있었다.
08 우리는 그때 기차로 유럽 곳곳을 여행하고 있었다.
09 작년 이맘때에 나는 일본에 살고 있었다.
10 지금 무슨 일이 일어나고 있는 거지?

CHAPTER 07 조동사

skill 37 ◑ 본문 74쪽

1 그들은 Susan을 위해 송별회를 할 것이다.
2 그녀는 마음을 바꾸려고 하지 않는다.
3 제가 탁자를 옮기는 것을 도와주시겠습니까?

4 나는 이 순간을 결코 잊지 않을 것이다.
5 우리는 다음 주에 바쁠 것이다.

어법 Quiz

A 답 will의 과거형
그는 여기에 6시에 올 거라고 말했다.
- 주절의 시제가 과거이므로 시제일치를 위해 will의 과거형인 would를 썼다.
B 답 공손한 요청
TV를 꺼주시겠습니까?
- 공손하게 요청할 때는 Will you~? 대신에 Would you~?를 쓰기도 한다.

skill 38 ◑ 본문 75쪽

1 나는 물구나무를 설 수 있다.
2 차를 좀 옮겨줄래요?
3 이 엘리베이터는 12명을 수용할 수 있다.
4 너는 지금 컴퓨터를 써도 좋다.
5 지나는 2개의 외국어를 할 수 있다. 그녀는 영어와 프랑스어를 할 수 있다.

어법 Quiz

A 답 요청
너는 나대신 책을 반납해줄 수 있니? 나는 지금 너무 바빠.
- 상대방에게 뭔가를 요청할 때는 Can you~?라고 한다.
B 답 허가
제가 지금 집에 가도 될까요? 몸이 안 좋아요.
- 상대방의 허가를 구할 때는 Can I~?라고 한다.

skill 39 ◑ 본문 76쪽

1 내일 비가 올지도 모른다.
2 너는 그 책을 가져도 좋아. 나는 이미 그것을 읽었어.
3 그 기회는 다시 않올지도 모른다.
4 너희들 나머지는 지금 가도 좋다.
5 그 소문은 사실일지도 모른다.

어법 Quiz

A ⓐ 답 I
M: 창문을 열어도 될까요? 여기는 좀 덥네요.
ⓑ 답 you
W: 네, 그러세요.
- 상대방의 허가를 구할 때는 May I~?라고 묻고, 대답은

Yes, you may. 또는 No, you may not.으로 한다.

○ 본문 77쪽

1 그는 오늘 수학 숙제를 끝내야 한다.
2 소라는 오늘 결석했다. 그녀는 아픈 것임에 틀림없다.
3 나는 내일 시험이 있다. 나는 열심히 공부해야 한다.
4 Tim은 오후 내내 축구를 했다. 그는 분명 피곤할 것이다.
5 나는 어제 밤을 새야 했다, 그리고 오늘은 늦게까지 일해야 한다.

어법 Quiz

A 답 강한 부정적 추측
그녀는 40대일 리가 없다.
○ must not은 '~일 리가 없다'는 강한 부정적 추측의 의미를 가진다.
B 답 금지
너는 거짓말을 해서는 안 된다.
○ must not은 '~해서는 안 된다'는 금지의 의미를 가진다.

skill 41
○ 본문 78쪽

1 너는 물을 아껴야 한다.
2 선생님은 인내심이 있어야 한다.
3 그들은 사무실을 옮겨야 한다.
4 나는 내일 일찍 일어나야 한다.
5 Dave는 자신의 여자 친구에게 사과를 해야 한다.

어법 Quiz

A 답 금지
우리는 서둘러서는 안 된다.
○ must not은 '~해서는 안 된다'는 금지의 의미를 가진다.
B 답 불필요
우리는 서두를 필요가 없다.
○ don't have to는 '~할 필요가 없다'는 뜻으로 불필요함을 나타낸다.

skill 42
○ 본문 79쪽

1 너는 지금 잠자리에 들어야 한다. 벌써 밤 12시이다.
2 우리는 약속을 지켜야 한다.
3 나는 살이 찌고 있다. 나는 덜 먹어야 한다.
4 유나는 오늘 밤 남동생을 돌봐야 한다.
5 사람들은 어려울 때를 대비해 저축해야 한다.

어법 Quiz

A 답 should
너는 올바르게 처신해야 한다.
○ should는 '~해야 한다'는 뜻으로 의무나 충고를 나타낸다.
B 답 should not
너는 그렇게 나쁜 말을 해서는 안 된다.
○ should not은 '~해서는 안 된다'는 뜻으로 금지를 나타낸다.

CHAPTER 07 Exercise
본문 80쪽

A 01 be 02 Can 03 may not 04 has
  05 shouldn't
B 01 ⓑ 02 ⓐ 03 ⓑ 04 ⓐ 05 ⓐ
  06 ⓐ 07 ⓑ 08 ⓑ 09 ⓐ 10 ⓐ
C 01 won't / 함께 그곳에 가지 않겠다
  02 Can / 당신 옆에 앉아도 될까요
  03 may / 82세이실 것이다
  04 had to / 다리를 재건축해야 했다
  05 should / 손을 자주 씻어야 한다
D 01 Will you be at home tonight?
  02 I cannot ride a bike.
  03 May I speak to you for a minute?
  04 This camera must be broken.
  05 You don't have to memorize it.

A
01 나는 미래에 수의사가 될 것이다.
  ○ 조동사 뒤에는 동사원형을 쓴다.
02 지호는 바이올린을 연주할 수 있니?
  ○ 조동사는 인칭과 수에 따라 형태가 변하지 않는다.
03 나는 내일 파티에 가지 않을지도 모른다.
  ○ 조동사의 부정문은 뒤에 not을 붙여서 만든다.
04 그 소녀는 자신의 식사를 직접 요리해야 한다.
  ○ 주어가 3인칭 단수일 때는 have to가 아닌 has to를 쓴다.
05 너는 지금 이곳에 있어서는 안 된다.
  ○ 조동사의 부정문은 뒤에 not을 붙여서 만든다.
B
01 제가 내일 보고서를 제출해도 되나요?
02 펭귄은 날지 못한다.
03 너의 공책을 나에게 빌려줄 수 있니?
04 너는 일본어를 할 줄 아니?

정답 및 해설 13

05 당신의 말이 안 들려요. 크게 말해주세요.
06 제가 들어가도 될까요?
07 그는 부자일 리가 없다. 그는 돈을 전혀 쓰지 않는다.
08 너는 믿지 않을지도 모르지만, 그것은 사실이다.
09 너는 잠시 내 휴대전화를 써도 좋다.
10 신호등이 빨간색이다. 우리는 길을 건너면 안 된다.

08 수식어구

skill 43   ◑ 본문 84쪽

1 럭비는 거친 운동이다.
2 모든 살아있는 것들은 귀중하다.
3 당신에게 무슨 문제가 있나요?
4 한 신비한 젊은 여자가 옆집에 살고 있다.
5 우리는 뉴욕에서 크고 부드러운 프레첼을 먹었다.

어법 Quiz

A 답 much
여름에 비가 많이 오나요?
◑ rain은 셀 수 없으므로 much로 수식한다.
B 답 a few
저는 그것에 대해 몇 가지 질문이 있습니다.
◑ question은 셀 수 있으므로 a few로 수식한다.

skill 44   ◑ 본문 85쪽

1 노란색 티셔츠를 입은 그 소녀는 나의 여동생이다.
2 누가 냉장고에 있는 샌드위치를 먹었니?
3 덤불 뒤의 동물은 토끼였다.
4 이것은 런던에 사는 나의 사촌에게서 온 이메일이다.
5 우리는 벽에 걸린 그림을 보고 있었다.

어법 Quiz

A 답 형용사
탁자 밑의 고양이는 내 것이다.
◑ 앞에 있는 명사(cat)를 수식하므로 형용사이다.
B 답 부사
고양이가 탁자 밑에서 자고 있다.
◑ 앞에 있는 동사(sleep)를 수식하므로 부사이다.

skill 45   ◑ 본문 86쪽

1 나는 쓸 펜이 필요하다.
2 잠자리에 들 시간이다.
3 이제 네가 공을 찰 시간이다.
4 입을 재킷을 가져오는 것을 잊지 마라.
5 나에게 차가운 마실 것을 좀 주세요.

어법 Quiz

A 답 clean air
우리는 숨 쉴 깨끗한 공기를 원한다.
B 답 good place
한옥마을은 방문하기에 좋은 장소이다.
◑ 형용사와 to부정사가 동시에 하나의 명사를 수식할 경우 「형용사＋명사＋to부정사」의 어순이 된다.

skill 46   ◑ 본문 87쪽

1 아기가 곤히 자고 있다.
2 너무 많은 설탕은 너를 살찌게 만든다.
3 운 좋게도, 나는 분실물 보관소에서 지갑을 찾았다.
4 그 신사는 나를 친절하게 도와주었다.
5 나는 가끔 시험 전에 배가 아프다.

어법 Quiz

A 답 부사
나는 조심스럽게 화분을 옮겼다.
◑ 뒤에 있는 동사(move)를 수식하므로 부사이다.
B 답 형용사
핑크색 드레스를 입은 사랑스러운 저 소녀를 봐.
◑ 뒤에 있는 명사(girl)를 수식하므로 형용사이다.

skill 47   ◑ 본문 88쪽

1 along the coast / 우리는 해변을 따라 걸었다.
2 on the stage / 댄서들이 무대 위에서 아름답게 춤을 추었다.
3 in Thailand / 너는 태국에서 어디에 머물렀니?
4 across the river / 나는 수영해서 강을 건넜다.
5 Behind the fence / 담장 뒤에서, 몇 명의 아이들이 킥킥거리며 웃고 있었다.

어법 Quiz

A 답 soccer in the playground
우리는 운동장에서 축구를 했다.

B 답 gray in the evening
하늘은 저녁 때 회색빛이 된다.
○ 동사가 목적어(soccer)나 보어(gray)를 동반하는 경우, 동사를 수식하는 전치사구는 목적어나 보어보다 뒤에 위치한다.

skill 48 ○ 본문 89쪽

1 to solve / 이 퍼즐은 풀기가 어렵다.
2 to break up with his girlfriend / John은 여자 친구와 헤어져서 슬펐다.
3 To be honest / 솔직히, 나는 너를 따라가고 싶지 않다.
4 to catch the bus / 나는 버스를 타기 위해서 뛰었다.
5 to be a famous pianist / 그 소녀는 자라서 유명한 피아니스트가 되었다.

어법 Quiz

A 답 not to
그것을 믿지 않다니 그는 현명함에 틀림없다.
B 답 not to
나는 첫 기차를 놓치지 않기 위해 일찍 일어났다.
○ to부정사의 부정 의미를 나타낼 때에는 「not + to부정사」 형태를 쓴다.

CHAPTER 08 Exercise 본문 90쪽

A 01 wonderful 02 little 03 something
04 Suddenly 05 to study
B 01 ⓑ 02 ⓐ 03 ⓑ 04 ⓐ 05 ⓐ
06 ⓑ 07 ⓐ 08 ⓑ 09 ⓐ 10 ⓑ
C 01 진한 02 길가를 따라 03 그 질문에 답한
04 꽉 잡았다 05 공원에서
D 01 Science is an interesting subject.
02 It is time to say goodbye.
03 Sadly, she couldn't find the missing dog.
04 The sun rises in the east, and sets in the west.
05 I studied hard not to fail the exam.

A
01 나는 부산에서 멋진 휴가를 보냈다.
○ holiday를 수식하는 형용사 자리이므로 wonderful이 맞다.
02 자동차에 휘발유가 거의 없다.
○ gasoline은 셀 수 없는 명사이므로 little로 수식한다.

03 나는 너에게 말할 중요한 뭔가를 잊어버렸다.
○ 형용사 important가 뒤에서 수식하고 있으므로 대명사 something이 와야 한다.
04 갑자기, 모든 전등이 꺼졌다.
○ 문장 전체를 수식하는 부사이므로 Suddenly가 맞다.
05 나의 이모는 미술을 공부하러 프랑스에 갔다.
○ 부사구 역할을 하는 것은 to부정사구이므로 to study가 맞다.

B
01 학교 근처에서는 너무 빨리 운전하지 마라.
02 우리 가게는 신속한 배달을 약속합니다.
03 김선생님은 영어로 유창하게 말하신다.
04 아빠는 종종 영어로 된 신문을 읽으신다.
05 그는 시장의 아들이다.
06 나는 그녀를 다시 봐서 기뻤다.
07 너는 일본을 방문할 계획이 있니?
08 나는 보통 문자 메시지를 보내기 위해 휴대전화를 사용한다.
09 방 안에는 앉을 의자가 없었다.
10 그는 자고 일어나 집안에 홀로 있는 자신을 발견했다.

CHAPTER 09 접속사

skill 49 ○ 본문 94쪽

1 춥고 바람이 분다.
2 커피 또는 차 중에 너는 어떤 것을 선호하니?
3 수지는 노래와 춤을 잘한다.
4 열심히 공부해라, 그러면 너는 좋은 성적을 받을 것이다.
5 자동차 열쇠는 탁자 위 혹은 서랍 안에 있다.

어법 Quiz

A 답 is
카레라이스는 내가 가장 좋아하는 식사이다.
○ curry and rice(카레라이스)는 and로 연결되긴 했지만 단일 개념이므로 단수 취급한다. 따라서 동사도 단수형 (is)이 와야 한다.
B 답 wins
천천히 그리고 꾸준히 하면 이긴다.
○ slow and steady(느리고 꾸준한 것)는 단일 개념이므로

단수 취급한다. 따라서 동사도 단수형(wins)이 와야 한다.

skill 50 ◎ 본문 95쪽

1 그 수업은 어렵지만 재미있다.
2 Amy는 친절해서 모두가 그녀를 좋아한다.
3 상황이 나빠 보였지만, 아무도 희망을 포기하지 않았다.
4 눈이 많이 내리고 있어서 비행기는 이륙하지 못했다.
5 그녀는 영어뿐만 아니라 스페인어도 말할 수 있다.

어법 Quiz

A 답 but
나의 어머니는 의사가 아니라 교사이시다.
　◎ 「not A but B」는 'A가 아니라 B'라는 뜻이다.
B 답 am
네가 아니라 내가 동아리의 대표이다.
　◎ 「not A but B」가 주어로 쓰인 경우 B에 동사의 수를 일치시킨다.

skill 51 ◎ 본문 96쪽

1 while / 공부를 하는 동안에는 휴대 전화를 멀리 치워라.
2 Before / 수영장에 들어가기 전에, 나는 항상 준비운동을 한다.
3 After / 우리는 영화를 본 후에, 쇼핑을 했다.
4 while / 엄마가 설거지하시는 동안 나는 방을 청소했다.
5 When / 비가 왔다하면, 폭우가 내린다.
　(안 좋은 일은 겹쳐서 일어나기 마련이다. 설상가상이다.)

어법 Quiz

A 답 is
시험이 끝나면, 우리는 행복할 것이다.
B 답 arrive
내가 집에 도착한 후에 너에게 전화하겠다.
　◎ 시간을 나타내는 부사절에서는 미래의 의미일지라도 현재 시제를 쓴다.

skill 52 ◎ 본문 97쪽

1 나는 우산을 가져가는 것을 잊어버렸기 때문에 비에 젖었다.
2 민호는 오후 내내 축구를 했기 때문에 피곤했다.
3 지수는 다리를 다쳤기 때문에 빨리 뛸 수가 없었다.
4 나는 머리가 아파서 알약을 먹었다.

5 A: 너는 왜 그렇게 많은 책을 읽니?
　B: 엄마가 내가 그러기를 원하시기 때문이야.

어법 Quiz

A 답 because of
우리는 비 때문에 소풍에 가지 못했다.
　◎ 이유로 명사(구)가 나올 때는 because of를 이용한다.
B 답 because
날씨가 더워서 나는 에어컨을 틀었다.
　◎ 뒤에 「주어+동사」 형태의 절이 이어지므로 because를 이용한다.

skill 53 ◎ 본문 98쪽

1 만약 네가 내일 갚을 수 있다면, 너에게 돈을 빌려 주겠다.
2 만약 네가 헬멧을 쓰겠다고 약속한다면, 너는 자전거를 타도 좋다.
3 만약 도움이 필요하시면, 알려주세요.
4 만약 그가 늦게까지 일해야 하지 않는다면, 그는 파티에 올 것이다.
5 만약 내가 그립다면, 그냥 나를 보러 와라.

어법 Quiz

A 답 try
만약 네가 더 노력한다면, 너는 더 많은 기회를 얻게 될 것이다.
B 답 don't
만약 네가 충분히 연습하지 않는다면, 너는 경기에 질 것이다.
　◎ 조건을 나타내는 부사절에서는 미래의 의미일지라도 현재 시제를 쓴다.

skill 54 ◎ 본문 99쪽

1 That she is a great actress / 그녀가 훌륭한 여배우라는 것은 잘 알려져 있다.
2 That they had a fight / 그들이 싸운 것은 분명하다.
3 That he won first prize / 그가 일등을 한 것은 나를 놀라게 했다.
4 that you study every day / 네가 매일 공부하는 것이 중요하다.
5 That I am still sick / 내가 여전히 아프다는 것은 거짓말이 아니다.

A 답 is

Susan에게 많은 친구가 있는 것은 당연하다.

B 답 was

그가 모든 질문에 답한 것이 인상적이었다.

⊙ that절은 단수 취급한다.

---

skill 55 ⊙ 본문 100쪽

1 that the candidate will win the election / 너는 그 후보가 선거에서 이길 거라고 생각하니?

2 that you will pass the test this time / 나는 네가 이번 시험에서는 합격할 것이라고 생각한다.

3 that the earth was flat / 과거에, 사람들은 지구가 평평하다고 생각했다.

4 that birds of a feather flock together / 사람들은 날개가 같은 새들이 함께 모인다고(유유상종이라고) 말한다.

5 (that) your grandmother will get well soon / 너의 할머니께서 곧 회복하시기를 바란다.

어법 Quiz

A 답 지시형용사

너는 저쪽에 있는 저 소녀를 아니?

⊙ '저~'라는 뜻으로 뒤의 girl을 수식하는 지시형용사이다.

B 답 접속사

내일이 어머니날이라는 것을 알고 있었니?

⊙ 목적어절을 이끄는 접속사이다.

---

skill 56 ⊙ 본문 101쪽

1 that we did our best / 중요한 것은 우리가 최선을 다했다는 것이다.

2 that I'm still in love with her / 진실은 내가 아직 그녀를 사랑한다는 것이다.

3 that I cannot sleep well at night / 문제는 내가 밤에 잠을 잘 못 잔다는 것이다.

4 that I am getting fat / 나의 걱정은 내가 살이 찌고 있다는 것이다.

5 that the old man passed away / 소문은 그 노인이 죽었다는 것이었다.

A 답 보어

나의 희망 중 하나는 배고픈 아이가 없는 것이다.

⊙ that 절이 '~이다'로 해석이 되어 보어로 쓰였다

B 답 동격

비행기가 추락했다는 소식은 끔찍했다.

⊙ that이 news 바로 뒤에 와서 동일한 의미를 갖는 동격절을 이끌었다

CHAPTER 09 Exercise 본문 102쪽

A 01 and 02 but 03 Before 04 Because
  05 if

B 01 ⓐ 02 ⓑ 03 ⓐ 04 ⓑ 05 ⓐ
  06 ⓐ 07 ⓒ 08 ⓑ 09 ⓐ 10 ⓑ

C 01 or / 그렇지 않으면 너는 감기에 걸릴 것이다
  02 but / 어리지만 영리하다
  03 When / 내가 집에 갔을 때
  04 while / 잠을 자는 동안
  05 that / 우리가 지금 떠나야 한다는 것이다

D 01 am interested in watching movies and playing sports
  02 she missed the bus, she took a taxi
  03 I don't do my homework, my teacher will be angry at me
  04 is not true that pigs are stupid
  05 could see that he was sick

A

01 영어와 음악은 내가 가장 좋아하는 과목이다.

⊙ 복수 동사가 오는 것으로 보아 주어가 복수가 되어야 하므로 등위접속사 and로 연결해야 한다.

02 주 요리는 별로였지만, 후식은 훌륭했다.

⊙ 앞, 뒤의 내용이 상반되므로 등위접속사 but으로 연결되어야 한다.

03 잠자리에 들기 전에, 귀걸이를 빼라.

⊙ 내용상 '잠자리에 들기 전에'가 되어야 하므로 '~전에'의 의미인 종속접속사 before가 와야 한다.

04 교통이 혼잡했기 때문에, 나는 제 시간에 그곳에 갈 수 없었다.

⊙ 이유를 말하고 있으므로 '~때문에'의 의미인 because

가 와야 한다.
05 만약 네가 바쁘다면, 너는 지금 떠나도 좋다.
  ◎ 종속절에서 조건을 말하고 있으므로 if가 종속절을 이끌어야 한다.

B
01 엄마는 맛있는 쿠키를 구우셨고, 나는 그것을 먹었다.
02 너는 운전을 하는 동안 휴대 전화를 사용하는 것을 피해야 한다.
03 우리는 중국음식이나 이탈리아 음식을 먹을 수 있다.
04 식사를 마친 후에 식탁을 치워라.
05 나는 매우 배가 고파서 샌드위치를 먹었다.
06 그가 시험에 통과했다는 것은 믿기 어렵다.
07 나의 희망은 이러한 사건이 또 없는 것이다.
08 모두가 그것이 좋은 생각이라는 것에 동의했다.
09 내가 시험에서 부정행위를 했다는 것은 사실이 아니다.
10 너는 UFO가 존재한다고 믿니?

CHAPTER 10 비교구문

skill 57 ◎ 본문 106쪽

1 그는 황소만큼 힘이 세다.
2 지수는 원어민만큼 영어를 유창하게 말한다.
3 나에게 가능한 한 빨리 대답해주세요.
4 수학은 나에게 과학만큼 어렵다.
5 그녀의 치아는 눈만큼 하얗다.

어법 Quiz

A 답 so
이 책은 저 책만큼 재미있지는 않다.

B 답 as
나는 너만큼 빨리 달릴 수 없다.
  ◎ 원급 비교의 부정은 「not as[so]＋형용사[부사]＋as」이다.

skill 58 ◎ 본문 107쪽

1 준호는 그의 형보다 나이가 더 들어 보인다.
2 게스트 하우스는 호텔보다 값이 더 싸다.

3 세계의 날씨는 전보다 더 따뜻해졌다.
4 노트북 컴퓨터는 데스크톱 컴퓨터보다 더 비싸다.
5 수미는 수호보다 더 열심히 공부한다.

어법 Quiz

A 답 hotter
오늘은 어제보다 더 덥다.
  ◎ 1음절의 「단모음＋단자음」 단어는 비교급을 만들 때 끝자음을 한 번 더 쓰고 -er을 붙인다.

B 답 heavier
돌은 깃털보다 더 무겁다.
  ◎ 「자음＋-y」로 끝나는 단어는 비교급을 만들 때 -y를 -i로 바꾸고 -er을 붙인다.

skill 59 ◎ 본문 108쪽

1 치타는 세상에서 가장 빠른 동물이다.
2 어제는 일 년 중 가장 추운 날이었다.
3 그것은 내 인생의 가장 충격적인 경험이었다.
4 나는 수학 시험에서 가장 낮은 점수를 받았다.
5 진수는 체육 수업에서 가장 높이 점프했다.

어법 Quiz

A 답 biggest
가장 큰 육지동물은 무엇인가?
  ◎ 1음절의 「단모음＋단자음」 단어는 최상급을 만들 때 끝자음을 한 번 더 쓰고 -est를 붙인다.

B 답 best
겨울은 스키를 타기에 가장 좋은 계절이다.
  ◎ good은 비교 표현에 있어 불규칙하게 바뀌는 단어로 최상급이 best이다.

skill 60 ◎ 본문 109쪽

1 그는 우리 학교에서 가장 잘생긴 소년들 중의 하나이다.
2 명동은 한국에서 가장 붐비는 장소들 중의 하나이다.
3 Johnny Depp은 미국에서 최고의 배우들 중의 하나이다.
4 오늘은 내 인생의 가장 행복한 날들 중의 하나이다.
5 한국어는 지구상에서 가장 과학적인 언어들 중의 하나이다.

어법 Quiz

A 답 artists
Vincent van Gogh는 역사상 가장 위대한 화가들 중의 하나이다.

B 답 groups

　　BTS는 세계에서 가장 인기 있는 그룹들 중의 하나이다.

　　◐ 「one of＋the＋최상급」 뒤에는 복수명사가 온다.

07 기말고사는 중간고사만큼 쉽지 않았다.

08 KTX는 고속버스보다 더 빠르다.

09 너희 팀에서 누가 일을 가장 잘하니?

10 안나푸르나는 세계에서 가장 높은 봉우리들 중의 하나이다.

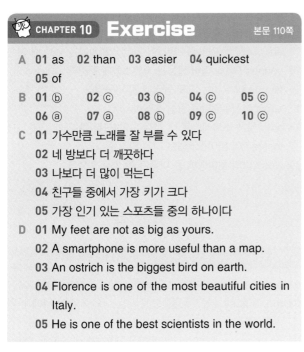

CHAPTER 10 **Exercise**　　본문 110쪽

A 01 as　02 than　03 easier　04 quickest
　　05 of

B 01 ⓑ　　02 ⓒ　　03 ⓑ　　04 ⓒ　　05 ⓒ
　　06 ⓐ　　07 ⓐ　　08 ⓑ　　09 ⓒ　　10 ⓒ

C 01 가수만큼 노래를 잘 부를 수 있다
　　02 네 방보다 더 깨끗하다
　　03 나보다 더 많이 먹는다
　　04 친구들 중에서 가장 키가 크다
　　05 가장 인기 있는 스포츠들 중의 하나이다

D 01 My feet are not as big as yours.
　　02 A smartphone is more useful than a map.
　　03 An ostrich is the biggest bird on earth.
　　04 Florence is one of the most beautiful cities in
　　　 Italy.
　　05 He is one of the best scientists in the world.

A

01 내 가방은 너의 것만큼 무겁다.
　　◐ 형용사 heavy의 원형이 쓰였으므로 원급 비교 문장이다.
　　　원급 비교는 「as＋형용사[부사]＋as」이다.

02 중국은 일본보다 더 크다.
　　◐ 비교급에서 '～보다'에 해당하는 말은 than이다.

03 TV를 보는 것은 책을 읽는 것보다 더 쉽다.
　　◐ 「자음＋-y」로 끝나는 단어는 비교급을 만들 때 -y를 -i로
　　　바꾸고 -er을 붙인다.

04 공항까지 가는 가장 빠른 방법이 뭐니?
　　◐ 앞에 the가 있는 것으로 보아 최상급 표현이 와야 한다.

05 민수는 우리 학교에서 가장 똑똑한 학생들 중의 하나이다.
　　◐ '가장 ～한 것들 중의 하나'는 「one of＋the＋최상급＋복
　　　수명사」로 나타낸다.

B

01 거실은 부엌보다 더 작다.

02 그것은 올해 최악의 영화이다.

03 후식이 주요리보다 더 맛이 있었다.

04 나는 우리 가족들 중에서 가장 나이가 어리다.

05 그는 한국에서 최고의 축구 선수들 중의 하나이다.

06 그 발레리나는 나비만큼 아름답게 춤을 췄다.

Workbook

CHAPTER 01 문장의 틀 Workbook

단어 Review 본문 114쪽

A 01 빛나다 02 밝게 03 밤새도록 04 머무르다
   05 알약 06 조용한 07 교장 08 발명가
   09 수리공 10 ~을 기다리다 11 보건교사
   12 여주인 13 손님 14 경찰관 15 친절 16 장소
   17 (~로) 여기다, 생각하다 18 책임감 있는 19 조용한
   20 나이

B 01 succeed 02 quit 03 expect 04 advise
   05 furniture 06 anger 07 lend 08 allow
   09 overnight 10 musician 11 doll 12 sneakers
   13 bank 14 honest 15 weekend 16 sweet
   17 look for 18 information 19 cell phone
   20 review

개념 Review 본문 115쪽

A 01 ×   02 ○   03 ×   04 ○   05 ○
B 01 were 02 swam 03 beautiful 04 of
   05 a famous soccer player
C 01 joyfully 02 quiet 03 a present 04 good
   05 to be

해석 Practice ① 본문 116쪽

01 eats / 나의 개는 너무 많이 먹는다.
02 is / 베이징은 중국의 수도이다.
03 looked / 경기장에 있는 대부분의 사람들은 흥분되어 보였다.
04 came / 올해는 겨울이 일찍 왔다.
05 live / 약 천만 명의 사람들이 서울에 산다.
06 became / 그는 훌륭한 요리사가 되었다.
07 is / 그녀의 머리카락은 빨갛다.
08 are / 나의 학급에는 26명의 학생들이 있다.
09 smells / 저기 밖에 뭔가 좋은 냄새가 난다.
10 remains / 그 조리법은 비밀로 남아있다.

11 is / 그 백화점은 10시 30분부터 8시까지 개장한다.
12 turned / 그 소식에 그의 얼굴이 창백해졌다.
13 sleep / 나는 보통 하루에 일곱 시간 잔다.
14 are / 나의 조부모님은 연세가 많고 약하시다.
15 sounds / 너의 영어 발음은 자연스럽게 들린다.
16 laughed / 우리는 그의 농담에 많이 웃었다.
17 stays / 나의 엄마는 항상 침착하시다.
18 got / 많은 스트레스로 내 건강이 악화되었다.
19 tastes / 이 아이스크림은 너무 맛이 좋다.
20 was / 나의 뒷마당에 큰 나무가 한 그루 있었다.

해석 Practice ② 본문 118쪽

01 a pair of jeans / 나는 쇼핑몰에서 청바지 한 벌을 샀다.
02 me, a postcard / 뉴질랜드에 사는 나의 사촌이 나에게 엽서를 보냈다.
03 badminton / 동민이는 일요일마다 아버지와 배드민턴을 친다.
04 me, a funny story / 그가 나에게 재미있는 이야기를 해주었다.
05 a new camera / 나의 아버지께서 나에게 새 카메라를 사주셨다.
06 Jejudo / 많은 외국인들이 매년 제주도를 방문한다.
07 me, a piece of paper / 나에게 종이 한 장만 건네 주실래요?
08 chicken / 대부분의 아이들은 닭고기를 좋아한다.
09 the truth / 아무도 나에게 진실을 말하지 않았다.
10 my hair / 나는 보통 머리를 아침에 감는다.
11 me, an umbrella / 엄마가 나에게 우산을 가져다 주셨다.
12 some cookies / 내가 너를 위해 쿠키를 좀 만들었어.
13 to listen to hip hop music / 많은 십대들이 힙합 음악을 듣는 것을 좋아한다.
14 me, an old album / 나의 할머니께서 나에게 오래된 앨범을 보여주셨다.
15 a lot of best sellers / 그 작가는 많은 베스트셀러를 썼다.
16 a question / 그 학생은 선생님께 질문을 하나 했다.
17 the alarm clock / 나는 자명종을 껐다.
18 drawing cartoons / 나는 만화 그리기를 좋아한다.
19 his ID card / 그 운전자는 경찰관에게 신분증을 건네주었다.
20 many kinds of vegetables / 그 노부인은 정원에서 많은 종류의 채소들을 기른다.

해석 Practice ③
본문 120쪽

01 목적어 their hands, 목적격 보어 clean / 의사들은 항상 손을 깨끗하게 유지한다.

02 목적어 me, 목적격 보어 to stay out late / 부모님은 내가 늦게 밖에 있는 것을 허락하지 않으신다.

03 목적어 a lot of people, 목적격 보어 cry / 그 소식은 많은 사람들을 울게 만들었다.

04 목적어 his son, 목적격 보어 a great architect / 그 목수는 아들을 위대한 건축가로 만들었다.

05 목적어 her, 목적격 보어 to be honest / 나는 그녀가 정직하다고 믿는다.

06 목적어 me, 목적격 보어 memorize the words / 선생님께서는 나에게 단어들을 외우게 하셨다.

07 목적어 New York, 목적격 보어 the Big Apple / 사람들은 뉴욕을 Big Apple이라고 부른다.

08 목적어 the movie, 목적격 보어 interesting / 그 영화가 재미있었니?

09 목적어 him, 목적격 보어 change his mind / 나는 그가 마음을 바꾸도록 했다.

10 목적어 the customer, 목적격 보어 try on the dress / 그 점원은 손님이 옷을 입어보도록 했다.

11 목적어 Leonardo Da Vinci, 목적격 보어 a master of art / 나는 Leonardo Da Vinci가 예술의 거장이라고 생각한다.

12 목적어 the girl, 목적격 보어 captain of the team / 그들은 그 소녀를 팀의 주장으로 선출했다.

13 목적어 the windows, 목적격 보어 open / 우리는 창문을 열어두었다.

14 목적어 me, 목적격 보어 to wait for a second / 그녀는 나에게 잠깐 기다리라고 말했다.

15 목적어 the children, 목적격 보어 play soccer on the playground / 나는 아이들이 운동장에서 축구하는 것을 보았다.

16 목적어 us, 목적격 보어 alive / 사랑이 우리를 살아있게 해준다.

17 목적어 me, 목적격 보어 a funny man / 나의 친구들은 나를 익살꾼이라고 부른다.

18 목적어 him, 목적격 보어 to become a lawyer / 그의 엄마는 그가 변호사가 되기를 바라신다.

19 목적어 me, 목적격 보어 alone / 나를 혼자 두지 마세요.

20 목적어 me, 목적격 보어 happy / 그는 항상 나를 기쁘게 해준다.

CHAPTER 02 문장의 종류
Workbook

단어 Review
본문 122쪽

A 01 주의 깊게 02 어려운 03 같은 04 발명하다
05 비싼 06 정보 07 다리 08 두려워하는
09 신뢰하다 10 세상, 세계 11 흥미 있는
12 동네, 이웃 13 편안한 14 찾다 15 자주, 종종
16 계단 17 실패 18 지루한 19 놀라운 20 유용한

B 01 finish 02 loudly 03 early 04 bright
05 country 06 lie 07 guest 08 contest 09 wet
10 enjoy 11 return 12 shout 13 belong to
14 popular 15 hometown 16 polite 17 wake
18 nervous 19 floor 20 agree

개념 Review
본문 123쪽

A 01 ○ 02 ○ 03 × 04 × 05 ×

B 01 Are 02 have 03 How 04 Don't 05 don't

C 01 Does he 02 Who 03 Don't be 04 or
05 What

해석 Practice ①
본문 124쪽

01 너는 지금 행복하니?
02 너는 아침식사를 했니?
03 너는 어둠이 두렵지 않니?
04 한국의 어버이날은 언제니?
05 너는 클래식 음악을 좋아하니?
06 소는 풀을 먹지 않니?
07 너는 아침에 몇 시에 일어나니?
08 저쪽에 있는 저 사람 Christine 아니야?
09 그녀에게 오빠[남동생]가 있니?
10 누가 창문을 깼니?
11 너는 액션 영화를 좋아하지 않니?
12 이 셔츠는 얼마인가요?
13 그녀는 너의 음악 선생님이 아니셨니?
14 너는 집에 왜 돌아왔니?
15 이 근처에 우체국은 어디에 있니?
16 너는 미국에서 태어났니?
17 너는 인터넷을 사용하지 않았니?
18 제주도로 간 여행은 어땠니?
19 너는 콜라와 오렌지 주스 중 어떤 것이 더 좋니?

20 당신의 집 근처에 백화점이 있나요?

해석 Practice ②　　　　　본문 126쪽

01 문 좀 닫아주세요.
02 바다의 색을 봐.
03 에스컬레이터에서 뛰지 마라.
04 엄마께 전화해, 그렇지 않으면 그녀는 너에 대해 걱정하실 거야.
05 열심히 노력해라, 그러면 너의 꿈이 실현될 것이다.
06 네 에너지를 낭비하지 마, 그래줄래?
07 누구에게도 절대 비밀번호를 말하지 마라.
08 이 버튼을 3초 동안 누르세요.
09 이 약을 먹어봐, 그러면 너는 기분이 더 나아질 거야.
10 따뜻한 모자와 목도리를 착용해라.
11 월요일에 있을 네 피아노 수업을 잊지 마.
12 음악 소리 좀 줄여주세요.
13 혼자서는 절대 그 숲 속으로 들어가지 마.
14 나에게 돈 좀 빌려줘, 그래줄래?
15 숙제를 해라, 그렇지 않으면 너는 컴퓨터 게임을 할 수 없어.
16 더 연습해라, 그러면 너는 경기에 이길 것이다.
17 어떠한 소리도 내지 마라(시끄럽게 하지 마라), 그렇지 않으면 아기가 깰 것이다.
18 어떤 상황에서도 희망을 버리지 마라.
19 의사의 충고를 따라라, 그러면 너는 괜찮을 것이다.
20 칼 조심해, 그렇지 않으면 너는 다칠 거야.

해석 Practice ③　　　　　본문 128쪽

01 그는 얼마나 멋진 사람인가!
02 교실이 얼마나 깨끗하던지!
03 그녀는 참 부드러운 목소리를 가졌구나!
04 그 소년은 얼마나 용감하던지!
05 네 이야기는 정말 흥미롭구나!
06 그녀가 얼마나 신선한 사과를 샀는지!
07 그 괴물들이 얼마나 무서운지!
08 참 밝고 큰 달이구나!
09 그것은 참 맛있는 빵이구나!
10 많은 사람들이 전쟁에서 죽었다. 얼마나 끔찍한가!
11 그의 노래가 얼마나 좋게 들리던지!
12 그것은 정말 멋진 행사네요!
13 그것은 정말 웃긴 광경이구나!
14 무지개를 봐. 정말 놀라워!

15 그 소녀는 얼마나 아름다운 귀걸이를 하고 있는지!
16 비가 얼마나 심하게 내리고 있는지!
17 저쪽에 있는 남자는 누구니? 정말 키가 큰 남자구나!
18 이 꽃들은 참 향긋한 냄새가 나는구나!
19 그녀의 음식은 얼마나 맛있는지!
20 너는 수학과 영어를 잘하는구나. 얼마나 똑똑한 학생인지!

해석 Practice ④　　　　　본문 130쪽

01 너는 Jenny의 자매이지, 그렇지 않니?
02 수학 시험은 어려웠어, 그렇지 않니?
03 그들은 서로를 알지 못해, 그렇지?
04 John은 어제 한 골을 넣었어, 그렇지 않니?
05 우리 지금 떠나자, 어때?
06 강아지가 정말 귀엽다, 그렇지 않니?
07 너는 내 숟가락을 사용했어, 그렇지 않니?
08 그는 유명한 가수는 아니야, 그렇지?
09 나는 네 집단의 일원이 아니야, 그렇지?
10 우리 시간을 낭비하지 말자, 어때?
11 한국인들은 김치를 좋아해, 그렇지 않니?
12 너는 그 소식을 못 들었지, 그렇지?
13 그는 이 아파트에 살지 않아, 그렇지?
14 이 오렌지는 맛이 좋아, 그렇지 않니?
15 이번 주 토요일에 영화 보러 가자, 어때?
16 너는 지난밤에 쇼핑몰에 있었지, 그렇지 않니?
17 너는 지금 배고프지 않지, 그렇지?
18 너는 거짓말을 하고 있지 않아, 그렇지?
19 이 버스는 전주로 가네, 그렇지 않니?
20 저쪽에 공원이 있지, 그렇지 않니?

CHAPTER 03 주어　　　　　Workbook

단어 Review　　　　　본문 132쪽

A 01 (식물을) 심다　02 처음에는　03 낯선 사람
04 약, −쯤　05 불가능한　06 (시간이) 걸리다
07 좌우명　08 어려움에 처한　09 말, 언어　10 편리한
11 약간, 조금　12 편안한　13 손님　14 층
15 깨끗한, 청소하다　16 쉬운　17 어려운　18 중요한

19 필수적인 **20** 지하철 역

B **01** in front of **02** bright **03** learn **04** lie
05 country **06** use **07** rotten **08** building
09 crowded **10** spend **11** forest **12** noisy
13 finish **14** cost **15** plan **16** last **17** goal
18 look like **19** far **20** bite

개념 Review

본문 133쪽

A **01** ○ **02** × **03** ○ **04** × **05** ○
B **01** She **02** are **03** It **04** To drink **05** Not
C **01** tastes **02** wasn't **03** It **04** makes **05** Not to

해석 Practice ①

본문 134쪽

01 평화는 그들의 유일한 소망이다.
02 이날은(오늘은) 나에게 슬픈 날이다.
03 우리들은 21세기에 살고 있다.
04 내 남동생은 공으로 창문을 깨뜨렸다.
05 우정은 사랑의 한 방식이다.
06 핫초코는 내가 가장 좋아하는 음료이다.
07 Tom은 매일 저녁 호수를 따라 산책한다.
08 나는 두 개의 음악 수업을 듣는다. 하나는 피아노이고, 다른 하나는 기타이다.
09 그 집에는 충분한 음식이 있다.
10 공원에는 많은 사람들이 있다.
11 내 지갑에는 돈이 없었다.
12 나는 목이 마르지만, 내 병에는 물이 없다.
13 좋은 소식이 전혀 없다.
14 일요일이었지만, 상점에는 사람들이 많지 않았다.
15 이 주변에서 교통사고가 있었나요?
16 이곳은 어둡고 춥다.
17 약 1천 달러예요!
18 하루 종일 매우 고요하고 조용했다.
19 시간은 정말 빨리 간다. 벌써 겨울이다.
20 밤이었고, 밖에는 비가 내리고 있었다.

해석 Practice ②

본문 136쪽

01 Studying online / 온라인으로 공부하는 것은 편리하다.
02 Swimming in the sea / 바다에서 수영하는 것은 위험하다.
03 Fixing computers / 컴퓨터를 수리하는 것이 그의 일이다.
04 Running 2 kilometers / 2킬로미터를 달리는 것은 힘들다.
05 Writing / 글쓰기는 여러분의 뇌에 좋습니다.

06 Taking a test / 시험을 치는 것은 우리에게 많은 스트레스를 준다.
07 Raising insects / 곤충을 기르는 것은 흥미로운 취미이다.
08 Not being honest / 정직하지 못한 것이 네 문제이다.
09 Trying new foods / 새로운 음식들을 먹어보는 것은 여행의 재미있는 부분이다.
10 Watching TV for a long time / 오랜 시간 동안 TV를 보는 것은 당신의 눈에 나쁘다.
11 To skat on the ice / 빙판 위에서 스케이트를 타는 것은 재미있다.
12 To do my best / 최선을 다하는 것이 내 좌우명이다.
13 To carry a smartphone / 스마트폰을 갖고 다니는 것은 유용하다.
14 To learn a foreign language / 외국어를 배우는 것은 어렵다.
15 To be on time / 시간을 지키는 것은 중요하다.
16 to say "No" / 때때로, "아니오"라고 말하는 것은 필수적이다.
17 To read all the books / 그 모든 책을 읽는 것이 내 계획이다.
18 To make a change / 변화를 만드는 것은 사람들에게 쉽지 않다.
19 To see animals at the zoo / 동물원에서 동물들을 보는 것은 신나는 일이다.
20 Not to sleep enough / 충분히 자지 않는 것은 우리가 피로함을 느끼게 만든다.

CHAPTER 04 목적어 Workbook

단어 Review

본문 138쪽

A **01** 농부 **02** 경찰관 **03** 대하다, 대접하다 **04** 믿다
05 울타리 **06** 적응시키다 **07** 말 **08** 같이 쓰다
09 대학 **10** 판단하다 **11** 닭 **12** 보호하다
13 존중, 존경 **14** 숨기다, 숨다 **15** 표현하다
16 해내다, 성공하다 **17** ~ 안으로 빠지다 **18** 열광하는
19 믿다 **20** 결정

B **01** hole **02** beat **03** report **04** factory **05** blame
06 knock **07** stage **08** knit **09** cover **10** push
11 order **12** turn down **13** build **14** manager
15 fault **16** service **17** festival **18** move
19 towel **20** follow

A **01** ○　**02** ×　**03** ×　**04** ○　**05** ○

B **01** ones　**02** itself　**03** loving　**04** meeting
　　05 to act

C **01** one　**02** yourself　　　**03** failing
　　04 to go　**05** drinking

해석 Practice ①　　　　　　　　　본문 140쪽

01 나는 그들을 파티에 초대했다.

02 그는 여가 시간에 기타를 친다.

03 너 펜이 필요하니? 내가 한 개 가지고 있어.

04 나는 2시간 동안 TV를 보았다.

05 나는 슬리퍼를 잃어버렸다. 나는 새것이 필요하다.

06 나는 이것을 내 이웃에게서 들었다.

07 Susan은 다른 것을 골라서 다시 시도했다.

08 나는 나 자신에게 새 모자를 사주었다.

09 너 자신을 믿어라, 그러면 너는 어느 것이든 할 수 있다.

10 우리는 우리 자신을 서로에게 소개했다.

11 그녀는 병으로부터 그녀 자신을 보호했다.

12 회원들은 그들 자신을 자유롭게 표현했다.

13 초가 저절로 꺼졌다.

14 Jack은 혼자 힘으로 그 일을 끝냈다.

15 그는 항상 다른 사람들에 대해 나쁘게 이야기한다.

16 나는 많은 시간을 그들과 함께 보냈다.

17 그녀는 직업을 바꾸는 것에 대해 생각 중이다.

18 우리 가족은 크리스마스에 한 호텔에서 묵는 것에 대해 이야기했다.

19 우리 아이들은 해외여행을 함으로써 많은 것을 배웠다.

20 나는 수학 시험을 치르는 것에 대해 걱정하고 있다.

해석 Practice ②　　　　　　　　　본문 142쪽

01 cleaning my house / 나는 집을 청소하는 것을 끝냈다.

02 playing winter sports / Kevin은 겨울 스포츠를 하는 것을 즐긴다.

03 working on the weekend / 나는 주말에 일하는 것을 꺼리지 않는다.

04 ringing / 전화기가 10분 동안 계속 울렸다.

05 running on the track / 그 마라톤 선수는 트랙 위를 달리는 것을 포기했다.

06 wasting your time on computer games / 네 시간을 컴퓨터 게임에 낭비하는 것을 피해라.

07 playing the cello / Jessica는 매일 첼로를 연주하는 것을 연습한다.

08 painting the table / Thomas는 탁자를 칠하는 것을 끝냈다.

09 drinking lemon water / 여름 동안에는 레몬 물을 마시는 것을 즐겨라.

10 sharing a room with another person / 나는 다른 사람과 방을 같이 쓰는 것을 꺼리지 않는다.

11 to study law / Michael은 법을 공부하기로 결정했다.

12 to do volunteer work / 나는 자원봉사를 할 계획이다.

13 to be a famous basketball player / 나는 유명한 농구 선수가 되는 것을 희망한다.

14 to pay back the money / 그는 그 돈을 갚겠다고 약속했다.

15 to meet him someday / 우리는 언젠가는 그를 만날 것을 기대한다.

16 to go there / 그들은 처음에는 그곳에 가는 것을 원하지 않았다.

17 to eat a lot of vegetables / 여러분은 많은 채소를 먹을 필요가 있습니다.

18 to respect the rules / 그들은 규칙을 존중하기로 동의했다.

19 to continue this work with you / 저는 이 일을 당신과 함께 계속하길 바랍니다.

20 to marry next spring / 그 커플은 내년 봄에 결혼할 계획이다.

CHAPTER **05** 보어　　　　　Workbook

단어 Review　　　　　　　　　본문 144쪽

A **01** 대표, 주장　**02** 급우, 반 친구　**03** 별명　**04** 둔한
　　05 가을　**06** 계절　**07** 나뭇잎　**08** 쉽게　**09** 건강한
　　10 냉장고　**11** 성적　**12** 눈물　**13** 비현실적인
　　14 여행 가이드　**15** 수리하다　**16** 포기하다　**17** 경주
　　18 취미, 여가활동　**19** 유창하게　**20** 증오

B **01** duty　**02** angel　**03** safe　**04** review　**05** empty
　　06 cheek　**07** scholar　**08** elect　**09** development
　　10 communication　**11** global　**12** village　**13** saint
　　14 effort　**15** wall　**16** cherry blossom　**17** expect
　　18 suitcase　**19** honest　**20** allow

A 01 ○   02 ○   03 ×   04 ○   05 ×
B 01 dancer   02 strange   03 be   04 silent
   05 to look
C 01 leader   02 happy   03 not to   04 healthy
   05 collect

해석 Practice ①   본문 146쪽

01 a famous actor / 그 어린 소년은 십 년 뒤에 유명한 배우가 되었다.
02 tired / 나는 아침에 항상 피곤하다.
03 too tight / 이 스커트는 나에게 너무 낀다.
04 sweet / 솜사탕은 달콤한 맛이 난다.
05 to lose five kilograms / 내 목표는 한 달 안에 5킬로그램을 빼는 것이다.
06 to visit an art gallery / 우리의 숙제는 미술관을 방문하는 것이다.
07 excited / 콘서트장 안의 모든 팬들이 신나 보였다.
08 useful / 스마트폰은 여러모로 유용하다.
09 soldiers / 옆집의 부부는 군인들이다.
10 pale / 그 소식을 듣고, 그녀의 얼굴이 창백해졌다.
11 bitter / 이 차는 쓴 맛이 난다.
12 bad / 더운 계절에는 음식이 쉽게 상한다.
13 my math teacher / 선글라스를 낀 남자는 나의 수학 선생님이시다.
14 to become a novelist / 그녀의 꿈은 소설가가 되는 것이다.
15 believing you are lucky / 행운은 네가 운이 좋다고 믿는 것이다.
16 teaching English / 나의 직업은 중학생들에게 영어를 가르치는 것이다.
17 loose / 너의 신발 끈이 헐거워졌다.
18 the goal keeper / 축구 팀에서 나의 포지션은 골키퍼이다.
19 bored or lonely / 취미가 있으면 너는 결코 지루해지거나 외롭지 않을 것이다.
20 walking / 내가 가장 좋아하는 운동은 걷기이다.

해석 Practice ②   본문 148쪽

01 Kate / 그는 그의 딸을 Kate라 이름 지었다.
02 interesting and educational / 나는 그 책이 재미있고 교육적이라는 것을 알았다.
03 a secret / 우리 그것을 비밀로 하자.

04 cross the road / 나는 눈이 먼 남자와 그의 개가 길을 건너는 것을 보았다.
05 their president / 미국 사람들은 그를 그들의 대통령으로 선출했다.
06 do the housework / 너는 엄마가 집안일을 하시는 것을 도와야 한다.
07 to take one week's leave / 그의 상사는 그가 일주일간 쉬도록 허락해주었다.
08 clean / 건강을 위해서 손을 깨끗이 해라.
09 white / 그 충격은 그의 머리카락을 하얗게 만들었다.
10 to leave the room / 나는 네가 지금 이 방을 나가기를 원한다.
11 awake / 커피 두 잔이 나를 밤늦게까지 깨어있게 했다.
12 call my name / 나는 아빠가 내 이름을 부르시는 것을 들었다.
13 light blue / 나의 삼촌은 울타리를 밝은 청색으로 칠하셨다.
14 a masterpiece / 사람들은 '모나리자'를 걸작이라 여긴다.
15 a fool / 마을 사람들은 그를 바보라고 불렀다.
16 clear / 그것이 모든 것을 분명하게 한다.
17 a good student / 모든 선생님들이 그를 좋은 학생이라고 믿었다.
18 move around the sun / 무엇이 지구가 태양 주위를 돌게 하는가?
19 to stay at home / 경찰은 우리에게 집에 머물러 있으라고 충고했다.
20 touch my shoulder / 나는 누군가가 내 어깨를 만지는 것을 느꼈다.

CHAPTER 06   시제   Workbook

단어 Review   본문 150쪽

A 01 ~을 잘하다   02 중요한   03 거미   04 발명하다
   05 버스 정류장   06 농구   07 잔디, 풀   08 밖에
   09 그때, 그 당시에   10 지진   11 떨다   12 서쪽
   13 호주머니   14 발견하다, 찾다   15 닦다   16 체육관
   17 운동장   18 챙기다, 싸다   19 짖다   20 보고서
B 01 set   02 lie   03 wall   04 bite   05 earth
   06 a pair of   07 beach   08 plant   09 hold
   10 take a shower   11 late   12 draw   13 truth
   14 meeting   15 walk   16 take off   17 visit
   18 grow   19 hospital   20 have a hard time

A 　01 ○　　02 ×　　03 ○　　04 ×　　05 ○

B 　01 rises　02 had　03 built　04 getting　05 was

C 　01 is　02 dropped　03 has　04 sitting　05 was

해석 **Practice ①**　　　　　　　本文 152쪽

01 drink / 나는 매일 많은 양의 물을 마신다.
02 are / 나의 친구들은 착하고 재미있다.
03 rained / 작년에는 비가 많이 내렸다.
04 are shaking / 나무가 바람에 흔들리고 있다.
05 have / 학생들은 보통 오후 12시 30분에 점심을 먹는다.
06 were buying / 그들은 콘서트의 입장권을 사고 있었다.
07 was / 나의 아버지는 작은 도시에서 태어나셨다.
08 Are, having / 당신은 이곳에서 아주 좋은 시간을 보내고 있나요?
09 were, doing / 어제 낮 12시에 너는 무엇을 하고 있었니?
10 is sleeping / 아기가 침대에서 자고 있다.
11 boils / 물은 100도에서 끓는다.
12 was, sleeping, came / 네가 집에 왔을 때 나는 자고 있지 않았다.
13 Were, looking / 너는 이 책을 찾고 있었니?
14 is, staying / 그는 이 호텔에 머물고 있지 않다.
15 were / 오래 전에는 대부분의 도시들이 매우 작았다.
16 called, was taking / 네가 내게 전화했을 때, 나는 샤워를 하고 있었다.
17 began / 한국전쟁은 1950년에 시작되었다.
18 are, listening / 너는 내 말을 듣지 않고 있구나.
19 studied / 수미는 시험에 대비해 열심히 공부했다.
20 have / 우리는 한국에서 사계절을 가지고 있다.

CHAPTER 07 조동사　　　Workbook

단어 **Review**　　　　　　　　본문 154쪽

A 　01 송별회　02 마음　03 잊다　04 순간　05 끄다
　　06 엘리베이터　07 (무게를) 견디다　08 외국어
　　09 이미, 벌써　10 나머지　11 소문　12 사실의

13 결석한　14 밤을 새다　15 거짓말을 하다
16 절약하다, 아끼다　17 참을성[인내심]이 있는
18 사무실　19 사과하다　20 서두르다

B 　01 midnight　02 meal　03 promise　04 fat
　　05 look after　06 behave oneself　07 vet
　　08 future　09 own　10 hand in　11 report
　　12 lend　13 loudly　14 for a while　15 spend
　　16 villager　17 rebuild　18 bridge　19 broken
　　20 memorize

개념 **Review**　　　　　　　　본문 155쪽

A 　01 ○　　02 ○　　03 ×　　04 ×　　05 ○

B 　01 will　02 Can　03 May　04 must not
　　05 should not

C 　01 be　02 can't　03 know　04 must　05 don't

해석 **Practice ①**　　　　　　　본문 156쪽

01 will / 미래에는 로봇이 사람들은 위해 일할 것이다.
02 can't / 나는 네 이메일 주소를 기억할 수 없어.
03 May / 당신의 이름과 전화번호를 알려주시겠어요?
04 will / 나는 다음 달 언젠가 너의 집을 방문할 것이다.
05 won't / 다시는 네 생일을 잊지 않을게.
06 Can / 집안일을 도와줄 수 있니?
07 can't / 그 노인은 더 이상 일할 수 없다.
08 may / John은 오늘 수영 수업이 있었다. 그는 피곤할 것이다.
09 may / 무엇을 도와드릴까요?
10 can / 아무도 음식 없이 살 수 없다.
11 won't / 지수는 항상 혼자이다. 그녀는 누구와도 이야기하려고 하지 않는다.
12 will / 힘 내! 너는 다음에 더 잘 할 거야.
13 May / 관리자와 통화할 수 있을까요?
14 Could / 소리 좀 줄여주실래요?
15 will / 나의 팀이 이번 게임을 이길 것이다.
16 Can / 운동화를 신어 봐도 될까요?
17 Will / 모레 비가 올까요?
18 may not / Paul은 나에게 전화를 하지 않았다.
　　그는 내 전화번호를 알지 못할지도 모른다.
19 can't / 우리는 오늘밤에는 별을 볼 수가 없다.
20 may not / 그들은 다시는 서로를 보지 못할지도 모른다.

해석 Practice ②

01 must not / 당신은 여기에 주차하시면 안 됩니다.

02 must / 너는 그에 대해 다시 생각해 봐야 한다.

03 has to / 그는 오늘 밤 늦게 일해야 한다.

04 had to / Tom은 오늘 아침에 늦게 일어났다, 그래서 그는 아침을 걸러야 했다.

05 must not / 너는 밤늦게 혼자 돌아다니면 안 된다. 위험하다.

06 have to / 우리는 내일까지 그 프로젝트를 끝내야 한다.

07 should / 학생들은 학교에서 교복을 입어야 한다.

08 shouldn't / 우리는 공원에서 꽃을 꺾으면 안 된다.

09 don't have to / 너는 그것에 대해 걱정할 필요가 없다. 내가 처리할 수 있다.

10 must / 그 영화는 재미있음에 틀림없다. 많은 사람들이 그것을 봤다.

11 must / 그 남자는 백만장자임에 틀림없다. 그는 아주 고급차를 운전한다.

12 had to / 신데렐라는 자정 전에 집에 가야 했다.

13 should / 너는 파리에서 에펠탑을 방문해야 한다.

14 must / 엄마가 전화를 받지 않으신다. 바쁘심에 틀림없다.

15 don't have to / 나는 주말에는 일찍 일어날 필요가 없다.

16 should not / 눈이 많이 내리고 있다. 너는 오늘은 운전을 하면 안 된다.

17 Should / 숙박비를 지금 내야 하나요?

18 must not / 그 소식은 사실일 리가 없다. 그것은 믿기 어렵다!

19 should / 우리는 환경을 위해 종이와 캔을 재활용해야 한다.

20 must / Brian이 너를 좋아하는 것임에 틀림없다. 네 앞에서 그의 얼굴이 빨개진다.

수식어구

Workbook

단어 Review

본문 160쪽

A 01 럭비 02 거친 03 귀중한 04 신비로운
05 부드러운 06 유창하게 07 냉장고 08 덤불, 관목
09 사랑스러운 10 잡다 11 벽 12 차례
13 (발로) 차다 14 가져가다 15 시장 16 입다
17 깊이, 곤히 18 설탕 19 운 좋게도 20 지갑

B 01 lost and found 02 kindly 03 stomachache

04 stage 05 alone 06 traditional 07 fence
08 delivery 09 solve 10 stay up late
11 break up with 12 missing 13 follow
14 hard 15 climb 16 subject 17 gasoline
18 information 19 forget 20 sudden

개념 Review

본문 161쪽

A 01 × 02 × 03 ○ 04 × 05 ○

B 01 usually 02 little 03 in the sky
04 not to wake 05 to be

C 01 someone special 02 to buy 03 to write
04 is often 05 to keep

해석 Practice ①

본문 162쪽

01 poor / 우리는 불쌍한 아이들을 도와줘야 한다.

02 in need / 필요할 때 친구가 진정한 친구이다.

03 strange / 나는 어둠 속에서 뭔가 이상한 것을 보았다.

04 some / 쿠키를 좀 드시겠습니까?

05 a few small / 너는 몇 가지 작은 실수를 했다.

06 to meet / 우리 만날 시간과 장소를 정하자.

07 A lot of, in the theater / 극장의 많은 좌석들이 비어있었다.

08 in the bottle / 병 속의 음료는 오렌지주스이다.

09 to get close / 우리는 친해질 기회가 있었다.

10 to depend on / 모두에게는 기댈 누군가가 필요하다.

11 in the frame / 누가 액자 속의 사진을 찍었니?

12 comfortable / 나는 편한 운동화를 사고 싶다.

13 honest and diligent / 우리는 정직하고 근면한 사람을 찾고 있다.

14 quiet, to talk / 우리 이야기할 조용한 장소로 옮기는 게 어때요?

15 on the table / 네가 탁자 위의 햄버거를 만들었니?

16 on the wall / 벽에 걸린 시계는 작동하지 않는다.

17 from her friend / 그녀는 그녀의 친구로부터 편지 한 통을 받았다.

18 handsome / 그녀는 그곳에서 잘생긴 누군가를 만나기를 원한다.

19 special to do / 나는 이번 주말에 특별한 할 일이 없다.

20 in the aquarium / 수족관의 돌고래들은 너무 귀여웠다.

해석 Practice ②

본문 164쪽

01 on my way to school / 나는 등굣길에 음악을 듣는다.

02 on the ground / 그 비행기는 지상에 착륙했다.

03 wisely / 현명하게 행동하도록 노력해라.

정답 및 해설 **27**

04 never / 나의 엄마는 절대 커피를 마시지 않으신다.

05 often, in the winter / 그들은 겨울에 종종 스키를 타러 간다.

06 in the evening / 나는 저녁에 빨래를 한다.

07 gladly / 그는 기꺼이 나의 제안을 받아들였다.

08 Surprisingly / 놀랍게도 그녀는 침착했다.

09 not to forget the important information / 나는 그 중요한 정보를 잊지 않으려고 메모를 했다.

10 to hear the news / 우리는 그 소식을 듣고 행복했다.

11 for two hours in the afternoon / 그 아기는 오후에 두 시간씩 낮잠을 잔다.

12 in the garden / 많은 나비들이 정원에서 날고 있었다.

13 usually, at 7 / 나는 보통 7시에 아침식사를 한다.

14 to break hard nuts / 그 원숭이는 딱딱한 견과류를 깨기 위해 돌을 사용했다.

15 to be 80 years old / 나의 할머니는 80세까지 사셨다.

16 to read / 영어 소설은 읽기에 어렵다.

17 To be frank / 솔직히, 나는 너의 음식이 마음에 들지 않는다.

18 In the school gym / 학교 체육관에서, 몇몇 학생들이 농구를 하고 있다.

19 to see the accident / 우리는 그 사고를 보고 충격을 받았다.

20 to see the sign / 나는 그 간판을 읽기 위해 안경을 써야 했다.

CHAPTER 09 접속사 Workbook

단어 Review

본문 166쪽

A 01 선호하다, 더 좋아하다 02 ~을 잘하다 03 성적
04 서랍 05 과목, 주제 06 상황 07 포기하다
08 이륙하다 09 (비가) 마구 쏟아지다 10 설거지하다
11 피곤한 12 젖은 13 다치다 14 두통
15 빌려주다 16 사망하다, 죽다 17 약속하다, 약속
18 입다 19 멍청한 20 여배우

B 01 well-known 02 feather 03 certain
04 surprise 05 still 06 lie 07 candidate
08 election 09 get well 10 do one's best
11 truth 12 miss 13 clever 14 rumor
15 traffic 16 on time 17 avoid 18 agree
19 exist 20 opinion

개념 Review

본문 167쪽

A 01 ○   02 ×   03 ×   04 ○   05 ○
B 01 or   02 but 03 Because of 04 That 05 It
C 01 sunny 02 that 03 comes 04 rains 05 is

해석 Practice ①

본문 168쪽

01 나는 피아노는 칠 수 있지만, 바이올린은 켜지 못한다.

02 가격이 싸고 서비스가 좋았다.

03 방이 너무 추워서, 나는 히터를 켰다.

04 우리는 음악이나 영화를 인터넷에서 다운받을 수 있다.

05 나는 스키, 스노보드, 그리고 스케이트와 같은 겨울 운동을 좋아한다.

06 버터 바른 빵은 평상시의 나의 아침식사이다.

07 가져가시겠습니까 아니면 여기서 드시겠습니까?

08 나는 아픈 것이 아니라 피곤하다.

09 조심해라, 그렇지 않으면 너는 다칠 것이다.

10 나무 하나가 쓰러져서 길을 막았다.

11 그 모자가 비쌌기 때문에 나는 그것을 사지 않았다.

12 영화는 흥미로울 뿐만 아니라 감동적이기도 했다.

13 사과 주스와 오렌지 주스 중 어느 것이 더 좋니?

14 우리는 모닥불을 피우고 함께 노래를 불렀다.

15 내 카메라는 오래되었지만, 잘 작동된다.

16 좀 쉬어라, 그러면 기분이 나아질 것이다.

17 큰 행진이 있어서 많은 사람들이 그것을 보기 위해 왔다.

18 너는 나에게 전화를 하거나 문자를 보내면 된다.

19 너뿐만 아니라 우리 모두가 실수를 한다.

20 너는 버스를 타고 학교에 가니, 아니면 지하철을 타고 가니?

해석 Practice ②

본문 170쪽

01 When / 내가 일어났을 때에는 이미 9시였다.

02 because / 나는 급했으므로 택시를 잡았다.

03 While / 너는 먹는 동안에 말을 하면 안 된다.

04 after / 식사를 한 후에 이를 닦아라.

05 before / 나는 어두워지기 전에 집에 돌아왔다.

06 If / 만약 네가 열심히 노력하면, 너는 성공할 것이다.

07 because / 나는 돈이 없었기 때문에 집에 걸어와야 했다.

08 if / 만약 네가 원한다면, 너는 이곳에 머물러도 좋다.

09 After / 너는 숙제를 마친 후에 놀러 나가도 좋다.

10 Because / 날씨가 좋았기 때문에, 우리는 산책을 했다.

11 when / Jina의 가족은 그녀가 열 살 때 캐나다로 갔다.

12 before / 방에서 나가기 전에 불을 꺼라.

13 while / 내가 도시를 떠나 있는 동안 내 개를 돌봐줄 수 있니?

14 if / 네가 배가 고프다면, 내가 샌드위치를 만들어줄 수 있다.

15 because / 나의 아버지는 부지런하시기 때문에 일찍 일어나신다.

16 When / 그가 거기에 갔을 때, 그녀는 일하고 있었다.

17 while / 우리가 나가 있는 동안 우리 집에서 불이 났다.

18 after / 비가 그친 후에 햇살이 비쳤다.

19 If / 네가 지금 출발하면, 너는 기차를 탈 것이다.

20 before / 너무 늦기 전에 그녀에게 사과를 하는 게 어떠니?

해석 Practice ③ 본문 172쪽

01 주어 / 그들이 쌍둥이 자매인 것은 사실이다.

02 보어 / 나의 소망은 모두가 행복하게 사는 것이다.

03 목적어 / 내가 항상 네 곁에 있다는 것을 기억해라.

04 보어 / 너의 문제는 너무 많이 걱정을 한다는 것이다.

05 주어 / 그녀가 경연대회에서 일등을 한 것은 놀랍지 않다.

06 목적어 / 당신이 이곳 한국에서 좋은 시간을 보내시길 바랍니다.

07 주어 / 네가 떠나야한다는 것이 나를 슬프게 한다.

08 보어 / 진실은 아무도 내일 무슨 일이 생길지 모른다는 것이다.

09 목적어 / 너는 텔레비전이 바보상자라는 것에 동의하니?

10 목적어 / 나는 내가 옳은 일을 하고 있는지 확신하지 못했다.

11 목적어 / 김 선생님이 다른 학교로 옮기신다는 것을 들었니?

12 보어 / 중요한 것은 우리가 함께 있다는 것이다.

13 주어 / 그가 그녀와 사랑에 빠지는 것은 당연하다.

14 주어 / 나의 선생님이 자동차 사고를 당하셨다는 것은 거짓말이었다.

15 목적어 / 나는 그녀가 곧 돌아오기를 희망한다.

16 주어 / 우리가 경기에 이길 것은 분명하다.

17 목적어 / 나는 네가 나에게 진실을 말하고 있다고 믿는다.

18 보어 / 나의 걱정 중 하나는 우리가 너무 많은 에너지를 낭비하고 있다는 것이다.

19 목적어 / 그들은 자신들이 위험에 처한 것을 몰랐다.

20 목적어 / 네가 이것을 할 수 있다고 확신하니?

CHAPTER 10 비교구문 Workbook

단어 Review 본문 174쪽

A 01 황소 02 유창하게 03 원어민 04 곧 05 치아

06 눈 07 게스트 하우스, 소규모 호텔 08 (값이) 싼
09 노트북 컴퓨터 10 (값이) 비싼 11 유용한
12 치타 13 충격적인 14 경험 15 낮은
16 점프하다 17 과학자 18 잘생긴 19 붐비는
20 장소

B 01 ostrich 02 language 03 on earth 04 heavy
05 large 06 quick 07 way 08 airport
09 living room 10 map 11 dessert
12 main dish 13 ballerina 14 butterfly
15 final exam 16 midterm exam 17 express bus
18 high 19 peak 20 popular

개념 Review 본문 175쪽

A 01 ○ 02 × 03 × 04 ○ 05 ○
B 01 as 02 heavier 03 thinner 04 most 05 of
C 01 as 02 bigger 03 more important 04 best
05 girls

해석 Practice ① 본문 176쪽

01 택시는 지하철보다 더 빠르다.

02 사랑은 초콜릿만큼 달콤하다.

03 그녀의 아들은 그녀에게 가장 중요한 사람이다.

04 한국은 중국만큼 크지 않다.

05 너는 네 나이보다 더 들어 보인다.

06 에베레스트 산은 모든 산들 중에서 가장 높다.

07 오늘의 날씨는 어제의 날씨보다 더 나쁘다.

08 나는 아침에 우리 엄마만큼 일찍 일어나지 않는다.

09 나미는 나의 가장 좋은 친구들 중의 하나이다.

10 캐나다는 중국보다 더 크다.

11 Susan은 우리들 중에서 가장 영리하다.

12 내 휴대전화는 네 것만큼 비싸지 않다.

13 가능한 한 빨리 여기로 와.

14 하늘에서 가장 밝은 별은 무엇이니?

15 수박은 멜론보다 더 크다.

16 그는 이 마을에서 가장 부유한 사람들 중의 하나이다.

17 우리 엄마는 아빠보다 더 바쁘시다.

18 그녀는 가수로서보다 작가로서 더 유명하다.

19 나는 전만큼 많이 먹지 않는다.

20 미시시피 강은 세계에서 가장 긴 강들 중의 하나이다.

Memo

Memo

60개 패턴으로 독해의 기본을 잡는

중학 영어 **문장 해석 연습 ①**

60개 문장 패턴 반복 학습을 통한
중학 영어 독해 기본기 완성 프로그램!!

대상   예비 중1 ~ 중1   중1 ~ 중2   중2 ~ 중3

특징
✚ 중학 영어 독해의 기본기를 잡는 대표 구문 학습
✚ 각 학년별 대표 문장 패턴 60개 30일 완성
✚ 각 권 약 1,200여 개 문장 반복 해석 연습
✚ 대표 구문 학습 - 반복 해석 연습 - Review Test의 3단계 효율적 학습 시스템
✚ 충분한 해석 연습과 복습을 위한 워크북 제공
✚ 온라인 부가서비스 <단어 테스트지>와 <본문 해석 연습지> 제공

학습 교재의 새로운 신화! 이룸이앤비가 만듭니다!

이룸이앤비의 특별한 중등 수학교재 시리즈

숨마쿰라우데® 중학수학 개념기본서 시리즈

Q&A를 통한 스토리텔링식
수학 기본서의 결정판! (전 6권)

- 중학수학 개념기본서 1-상 / 1-하
- 중학수학 개념기본서 2-상 / 2-하
- 중학수학 개념기본서 3-상 / 3-하

숨마쿰라우데® 중학수학 실전문제집 시리즈

숨마쿰라우데 중학 수학 「실전문제집」으로
학교 시험 100점 맞자! (전 6권)

- 중학수학 실전문제집 1-상 / 1-하
- 중학수학 실전문제집 2-상 / 2-하
- 중학수학 실전문제집 3-상 / 3-하

숨마쿰라우데® 스타트업 중학수학 시리즈

한 개념 한 개념씩 쉬운 문제로 매일매일 꾸준히
공부하는 기초 쌓기 **최적의 수학 교재!** (전 6권)

- 스타트업 중학수학 1-상 / 1-하
- 스타트업 중학수학 2-상 / 2-하
- 스타트업 중학수학 3-상 / 3-하

이룸이앤비의 특별한 중등 영어교재 시리즈

숨마 주니어® WORD MANUAL 시리즈

중학 주요 어휘 총 2,200단어를 수록한

『어휘』와 『독해』를 한번에 공부하는 중학 영어휘 기본서! (전 3권)

- WORD MANUAL ❶
- WORD MANUAL ❷
- WORD MANUAL ❸

숨마 주니어® 중학 영문법 MANUAL 119 시리즈

중학 영어 문법 마스터를 위한

핵심 포인트 119개를 담은 단계별 문법서! (전 3권)

- 중학 영문법 MANUAL 119 ❶
- 중학 영문법 MANUAL 119 ❷
- 중학 영문법 MANUAL 119 ❸

숨마 주니어® 중학 영어 문장 해석 연습 시리즈

중학 영어 교과서에서 뽑은 핵심 60개 구문!

1,200여 개의 짧은 문장으로 반복 훈련하는 워크북! (전 3권)

- 중학 영어 문장 해석 연습 ❶
- 중학 영어 문장 해석 연습 ❷
- 중학 영어 문장 해석 연습 ❸

숨마 주니어® 중학 영어 문법 연습 시리즈

중학 영어 필수 문법 56개를

쓰면서 마스터하는 문법 훈련 워크북!! (전 3권)

- 중학 영어 문법 연습 ❶
- 중학 영어 문법 연습 ❷
- 중학 영어 문법 연습 ❸

THINK MORE ABOUT YOUR FUTURE